磁滞数学模型及考虑磁滞时磁场数值计算

赵国生　著

黄河水利出版社

内 容 提 要

本书首先对磁滞的数学模型及考虑磁滞时磁场数值计算方面的研究状况进行了综述,然后介绍了一些典型的标量及矢量Preisach磁滞模型,对这些数学模型中涉及的一些概念进行了详细的讨论,同时也对作者提出的非线性矢量磁滞模型及动态矢量磁滞模型作了介绍,在此基础上,提出了考虑磁滞效应时磁场的数值计算方法以及磁滞电机的数值计算方法,最后探讨了磁滞多值性的人工神经网络模拟方法。

本书可作为从事磁记录、电机及电器的磁场数值计算等领域的广大科研人员及在校研究生的参考书。

图书在版编目(CIP)数据

磁滞数学模型及考虑磁滞时磁场数值计算/赵国生著．
郑州:黄河水利出版社,2004.8
ISBN 7-80621-814-9

Ⅰ.磁…　Ⅱ.赵…　Ⅲ.①磁滞－数学模型②磁场－
数值计算　Ⅳ.O482.53

中国版本图书馆CIP数据核字(2004)第082715号

出 版 社:黄河水利出版社
　　　地址:河南省郑州市金水路11号　　邮政编码:450003
发行单位:黄河水利出版社
　　　发行部电话及传真:0371-6022620
　　　E-mail:yrcp@public.zz.ha.cn
承印单位:黄河水利委员会印刷厂
开本:850 mm×1 168 mm　　1/32
印张:4.625
字数:114千字　　　　　　　　　印数:1—1 000
版次:2004年8月第1版　　　　　印次:2004年8月第1次印刷
书号:ISBN 7-80621-814-9/O·12　　　　定价:15.00元

前　言

　　磁滞现象存在于磁记录、电机、变压器、控制电器及各种电磁设备中,然而在这些设备的传统的磁场数值计算中,并不考虑磁性材料的磁滞,这样就给这些设备的运行特性的精确计算、优化设计等方面带来计算误差,如电机、变压器的瞬变运行特性分析中忽略磁滞效应会带来不少的计算误差。迄今为止,还未曾出版过关于磁滞模型及考虑磁滞时磁场数值计算方法的书籍。

　　本书首先对磁滞的数学模型及考虑磁滞时磁场数值计算方面的研究状况进行了综述,然后介绍了一些典型的标量及矢量Preisach磁滞模型,对这些数学模型中涉及的一些概念进行了详细的讨论,同时也对作者提出的非线性矢量磁滞模型及动态矢量磁滞模型作了介绍,在此基础上,提出了考虑磁滞效应时磁场的数值计算方法以及磁滞电机的数值计算方法,最后探讨了磁滞多值性的人工神经网络模拟方法。

　　本书是本人在原博士论文的基础上改编而成的。博士论文是在导师李朗如教授的悉心指导下完成的,从论文的选题直到最后完成都倾注了导师的大量心血。李教授严谨的治学风范、渊博的知识、敏锐的洞察力,给本人以极大的启迪;导师献身祖国科学与教育事业的崇高品质和高度责任感,是本人成长道路上的楷模,在此谨向导师表示深深的感谢并致以崇高的敬意。

　　本书可作为从事磁记录、电机及电器的磁场数值计算等领域广大科研人员及在校研究生的参考书。本书在章节安排、内容阐述等方面会存在不少问题和缺点,希望读者能给予支持和帮助,并欢迎大家批评指正。

作　者
2004 年 5 月

目　录

第1章 绪 论

几十年来,磁滞数学模型的研究一直是磁学界对磁滞现象研究的焦点问题。本章首先阐述了标量磁滞、矢量磁滞、交变磁滞及旋转磁滞数学模型的研究情况,指出了存在的一些问题;然后对磁滞媒质中磁场的数值计算、磁滞损耗计算以及磁滞回线的模拟等问题的研究情况进行了介绍;最后提出了本书的主要研究工作。

1.1 磁滞数学模型的研究概况

1.1.1 标量磁滞模型的研究概况

滞后现象存在于科学研究领域的许多方面,它一直吸引着众多研究者的关注。如磁滞、介电电滞、机械滞后、吸收滞后、光学滞后、电子束滞后等。因此,建立一个通用的描述滞后现象的数学模型将有着重要的理论和工程实际意义,它将具有广阔的应用范围。

1935 年,德国物理学家 F. Preisach 提出了一个标量磁滞模型[1],后来称为 Preisach 模型,该模型成了以后几十年来磁学界研究的焦点问题,并得到了进一步的改进与发展,取得了一些有价值的结果[2~6]。如瑞利提出的在弱磁场的可逆磁化区域,磁化规律可以由瑞利磁滞回线表示,L. Neel 从微磁学出发提出了 Neel 模型;D. H. Everett 提出在两个相邻回转点之间的那段单值磁化曲线,磁化强度的增量可以由 Everett 函数表示等。但经典的 Preisach 模型中存在着一些缺点,一些实验现象不能成功地进行解释。如磁致伸缩效应(magnetostrictive),非同余性(noncongruency)及调节性(accomodation)等。同时经典的 Preisach 模型仅仅具有标量性质,而且施加了一些不必要的限制。

在 20 世纪 70 年代,苏联数学家 M. Kranoselskii 认为 Preisach 模型中包含着一个通用的思想[7]。他从这个模型中摒弃掉具体的物理意义,用一种纯数学的形式表示,这样就得到了一种描述任何物理过程的滞后现象的新的通用数学工具。同时,M. Krasnoselskii 方法也深刻地揭示了 Preisach 模型的唯象特性;相应地又提出了另一个问题,即在什么条件下,这个模型才能描述真实的滞后非线性问题。

经典 Preisach 模型的数学描述中包含擦除特性(Wiping out property)和同余特性(Congruency Property)两个特性,这两个特性构成了用经典 Preisach 模型描述真实滞后非线性现象的充分必要条件[8]。然而,该充分必要条件却构成了对经典 Preisach 模型的应用范围的限制。擦除特性或多或少是成立的(对于不同物理背景的滞后现象),而同余特性则过于严格,大大地减小了经典 Preisach 模型的应用范围。同时,经典 Preisach 模型中的单元磁滞算子只有两种可能取值。因此,它不能对磁滞的可逆性进行有效的描述(虽然有人在特定情况下也在一定程度上对经典 Preisach 模型的可逆性给予描述和进行了论证[9])。

为了放宽经典 Preisach 数学模型的一些限制条件,以便利用经典 Preisach 数学模型来处理实际问题,许多学者对此进行了深入的研究,提出了不少描述磁滞现象的数学模型。研究领域涉及到铁磁材料、磁记录材料,且考虑到了磁致伸缩现象及磁滞后效应,从静磁场到交变磁场、从标量模型到矢量模型、从各向同性材料到各向异性材料都予以了考虑。

I. D. Mayergoyz 对磁滞数学模型的研究最为深入,他从对经典 Preisach 数学模型的分布函数 $\mu(\alpha,\beta)$ 的改进入手,提出函数 $\mu(\alpha,\beta)$ 应依赖于目前的输入值(或外加输入的过去极值)。从分布函数依赖于外加输入的极值出发,推出了约束 Preisach 模型

（The Restricted Preisach Model）[10]；从分布函数依赖于目前的输入值出发，提出了非线性 Preisach 模型（The Non-Linenr Preisach Model）的两种表示方式。通常将这两种模型统称为输入依赖关系模型（The Input-Dependent Preisach Model）[11]。这两种模型对经典 Preisach 模型的擦除特性没作修改，而修改了其冋余特性，从而大大地放宽了其适用范围。在标量情况下可以证明非线性 Preisach 模型的两种表示方式[12]是等价的。由于非线性 Preisach 模型的分布函数的确定需要拟合一阶、二阶回转曲线上的测试值，而经典的 Preisach 模型只需拟合一阶回转曲线上的测试值，因此非线性 Preisach 模型在预计高阶回转曲线上的准确性大大地提高了，这一点也为实验所证实[10,11]，同时，由于非线性 Preisach 模型中增加了一项描述可逆磁化过程贡献的项，这改变了经典模型中的零初始磁化率的限制，使它对磁滞过程的描述更接近于实际。同时，实验上验证了采用约束 Preisach 模型和非线性 Preisach 模型的所谓"平均"模型效果更好[13]。

M. L. Hodgdon 等人提出了一种标量磁滞模型[14]，该模型认为 H 和 B 之间的本构关系由一微分方程来描述。选用不同的参数，可以描述不同铁磁材料的磁滞回线。Hodgdon 模型的一个有趣的特性在于它能够解释微小回线的调节现象。F. Ossart 和 T. A. Phung 对非线性 Preisach 模型和 Hodgdon 模型进行了实验上的比较研究，虽然 Hodgdon 模型易于理解和实现，但精度较差，且需要数值积分计算，而且参数的选择具有一定的经验性。而非线性 Preisach 模型难于理解，需要大量的实验数据及插值运算，局部极大值和极小值必须予以记录，但该法最后的计算公式简单，而且结果精度较高[15]。为了能够对磁致伸缩现象及磁滞后效应进行描述，Mayergoyz 进一步将其非线性模型加以推广，通过在其分布函数中引入与应力相关的项，而提出了描述磁致伸缩现象的 Preisach 模型[16]。同时又通过在非线性 Preisach 模型中引入区域指示函数,在恒定输入信号上加一个微扰信号,把非线性 Preisach 模型中的输出作为一个随机过程来描述磁滞后效应,提出了考虑磁滞后效应时的随机输入的输入依赖 Preisach 模型[17],并对联合密度函数的计算方法予以描述,其后 Mayergoyz 又将其磁滞模型扩充到超导情况[12]。此外,其他一些学者也从不同的角度提出了一些标量磁滞模型[18]。

E. Della Torre 提出了两个具有代表性的标量磁滞模型,它们是 Moving 模型和 Product 模型,这两个模型常被称为磁化强度依赖关系模型(Magnetization-Dependent Preisach Model)或输出依赖关系模型(Output-Dependent Preisach Model)[19,20]。在 Moving 模型中,认为剩磁不仅与外加场有关,而且也和磁化强度有关。它是通过把 Preisach 模型中的两个参数都加上一项 aM 而得出的。Moving模型考虑到了粒子相互作用的影响,修改了经典模型对同余性的限制[21],同时把可逆分量单独建模,并把其加在不可逆分量中。在 Product 模型中也修改了对经典模型的同余性限制,把它变为非线性同余特性。该模型引入了一项可逆磁化分量,因此它包含了对可逆磁化过程的处理。Torre 又通过进一步将 Product 模型中的残余 Preisach 函数分解为两个相同单变量函数的乘积的形式而提出其双线性 Product 模型[22]。

1.1.2 矢量磁滞模型的研究概况

前面讨论了标量磁滞模型,在许多工程应用领域中,使用标量磁滞模型就可以满足要求,但在有些情况下,它们并不足以描述材料的磁滞特性,取而代之的是必须考虑矢量磁滞模型。

最早的矢量磁滞模型是 Stoner-Wolhfarth(S-W)模型[23],该模型是从微磁学的角度出发,认为磁化过程的平衡状态应为其能量的最小值状态。磁化强度的方向应由所谓的"星形规则"来确定,该模型经过进一步的发展后应用于磁记录材料领域[24]。但由于S-W模型是由具有对称回线的粒子的集合体组成的,它没有描述粒子之间的相互作用,因此不能描述非对称的微小回线,而且在计算上也是比较慢的,该模型也未考虑到过去历史上的哪一部分会对未来产生影响。后来发展起来的矢量磁滞模型有一些是对S - W 模型的算法加以修改而得出来的[25,26]。

I. D. Mayergoyz 则从经典的标量 Preisach 模型出发,把矢量模型看成是标量模型在各个方向上的叠加,以经典的标量 Preisach 模型作为主要的构成模型,提出了二维、三维矢量 Preisach 模型[27],并讨论了矢量模型中分布函数的确定方法,但由于 Mayergoyz 的矢量磁滞模型是从经典 Preisach 模型推出的,因此它不能有效地描述矢量磁滞的可逆过程。不过,该模型由于涉及需要确定的参数较少,用它来计算矢量磁滞行为还是比较切实可行的。

G. Friedman 认为 S - W 模型和 Mayergoyz 的矢量磁滞模型是一个更加通用的矢量磁滞模型的两种特殊情况,对两个模型的统一性进行了论证,从而提出了一个通用的矢量 Preisach 磁滞模型[28]。

为了能够描述磁滞的矢量特征,E. Della Torre 又把自己提出的 Moving 模型和 Product 模型扩充到了矢量情况[29],在其矢量 Moving 模型中,采用了多维空间的概念,将标量算子 D 变成了矢量算子 $\vec{D}$,分布函数也相应地采用矢量形式。矢量 Moving 模型考虑到了粒子之间的矢量相互作用,它能够描述矢量可逆过程,是一个比较完善的矢量模型。在其矢量 Product 模型中,也包含了对磁化过程可逆分量的描述。此外,E. Della Torre 和 I. A. Beardsley 也分别对磁记录过程进行了矢量建模[30,31]。同时,A. Bergqvist 又把描述铁磁磁滞的 Jile-Atherton 模型[70]推广到矢量情况[71]。

1.1.3 交变磁滞模型的研究概况

经典 Preisach 模型及其推广的各种模型虽然在对磁滞的描述上有很多优点,但它们仅仅是一个静态模型,模型中的磁化强度仅仅由外加场的变化历史决定,而不是由外加场的变化速率决定。

因此,在这些模型中并没有考虑到外加场的频率对输出产生的影响。而我们经常使用的是交流电,材料所经历的是交变场。在交变情况下的磁滞回线不同于静态磁滞回线,这一点已为实验所证实。因此,建立交变情况下的动态磁滞模型在工程技术中具有重要的实际意义和应用价值。但交变情况下的动态磁滞特性的研究相对比较复杂,它的影响因素较多,不仅取决于材料的电导率、磁导率,而且与外加磁场的变化频率及其波形(正弦波、方波或三角波)、磁矩向外加磁场方向旋转的速度相关,因此要考虑到磁畴的动态行为。

D.C.Jiles 对非导电材料的动态磁化特性进行了研究。他把直流(静态)情况下的磁化曲线或磁滞回线看做是总磁化强度的一个平衡位置。在时态场作用下发生的微观过程可以看做是与该平衡位置具有一个偏差 ΔM。研究表明:ΔM 满足一个带阻尼的简谐运动方程,即位移磁化强度是磁场波形的 Laplace 变换[32]。

G.Bertotti 等对非导电材料在交变场的情况下,考虑金属铁磁材料的涡流影响时的磁化特性进行了研究。他通过一种统计方法,假定软磁材料的磁化过程由某些统计上独立的关联区域(叫做磁体)来描述涡流的影响[33],从单个磁体时变场中的行为方程推出了磁化场随时间变化的方程[34],并通过对动态磁滞回线及功率损耗的实验测定研究,指出了在每一点处的动态回线的宽度按磁化强度的瞬时变化率的开方规律而增加[35],提出了一个描述运动的磁滞模型[69]。

S.Hayano,M.Namiki 和 Y.Saito 根据磁畴理论,提出了描述动态磁化行为的 Chua-type 磁化模型[36],并指出 Hodgdon 模型也是一种 Chua-type 模型,Chua-type 模型可以从考虑磁滞后效应时的模型推出。

Mayergoyz 又分别从其非线性 Preisach 模型及他的矢量 Preisach 模型出发,通过在分布函数中引入与输出随时间变化率相关联的项而得出了时变场中的标量及矢量 Preisach[37,38]。但这两个模型中由于仅保留了幂级数展开式中的线性项,因而就形成了它对描述磁滞动态行为时的精度的限制。同时,由于这两个模型中的弛豫时间常数的测定比较困难,而且其动态矢量磁滞模型是从经典的 Preisach 模型出发而推出的,因此在实际的工程计算中还没有得到普遍使用。它保留了经典 Preisach 模型在描述磁滞非线性行为时的缺陷,该模型仅是一个描述各向同性媒质的动态矢量模型。

1.1.4 旋转磁化问题的数学模型研究概况

在磁头下通过的磁记录媒质所受的激励场不仅大小发生变化,其方向也不断地改变,而这种激励场的主要部分为旋转磁化场。在旋转磁通激励下,三相变压器及旋转电机的铁磁材料内部产生的磁滞不仅包含有交变磁滞,而且含有旋转磁滞。为了能够对电磁设备进行精确的分析与计算,以及电磁设备最优化设计的需要,旋转磁化问题必须予以考虑。

在旋转磁化场的激励下(无论大小是否改变),磁化强度也发生相应的旋转,但它的方向与外加磁场的方向并不在一条直线上,而是有一个滞后角。因此,仅用传统的标量磁滞模型不能够描述旋转磁化情况下的磁性材料的磁特性。由于经典Preisach 模型有很多优点,Mayergoyz 等人将其扩展为矢量磁滞模型,但这些矢量磁滞模型仍不能很好地描述磁性材料的旋转磁化特性,有的甚至对旋转磁化问题并未予以考虑[71]。如在强旋转磁场情况下,所有的标量磁滞模型都描述一个完整的磁滞回线,计算的旋转磁滞损耗是一个非零值,而在强磁场作用下由于磁化强度和磁场之间的夹角接近于零,旋转磁滞损耗应为零。因此,迫切需要建立一个考虑旋转磁化问题的矢量磁滞模型。

K. C. Wiesen 和 S. H. Charap 首先对旋转磁化问题进行了研究[34],他们针对无晶粒取向的媒质提出了一个旋转磁滞模型。该模型为 Preisach 单元的二分量响应增加了一个旋转自由度,同时用一个单密度函数来进行矢量磁滞计算。而先前的矢量 Preisach 模型都用两个或更多的密度函数来进行计算。同时他们指出,在旋转磁化情况下,Preisach 平面的构造也发生变化,此时,该平面可分解为可逆磁化区域(磁化强度与磁场强度保持相同的旋转方向)、不可逆磁化区域(磁化强度与磁场之间有一滞后角)及保持以前取向的区域。总的磁化强度应为密度函数在各个区域的积分后再进行矢量叠加,但该模型仅适用于外加场的量值为恒定值的旋转磁化问题。

Sunki Hong 提出了一个无晶粒取向媒质的旋转磁滞模型(Hong 模型),在该模型中,矢量磁滞算子已不再是仅有两种取向,它具有旋转能力并能记忆它们的方向,即该算子可以取任意的方向,这取决于总的磁化场的历史。同时也把 Preisach 平面分为可逆、不可逆及标量模型相关区域,并指出在旋转磁化场的量值发生变化时(椭圆磁化场),各个区域的形状也将发生相应的改变。该模型可以用来计算在磁化场大小发生变化情况下的旋转磁滞问题[40,41]。

1.1.5　磁滞数学模型研究中存在的一些问题

擦除特性和同余特性是 Preisach 模型描述真实滞后非线性问题的充分必要条件,而经典 Preisach 模型对同余特性要求过于严格,Preisach 模型应该对粒子间的相互作用及可逆磁化过程予以描述,而经典 Preisach 模型对这一点却没有予以描述。以经典 Preisach 模型为基础而提出的一些改进的数学模型虽然在以上各方面进行了改进,但还是不够完善的。其中较为完善的模型有 Mayergoyz 的非线性模型及 E. Della Torre 的 Moving 模型及 Product 模型。

Preisach 平面技术是 Preisach 模型用来描述磁滞现象的基础,它的最重要的贡献在于它把一维多值问题转变成了用其上、下开关场来表示的二维平面内的单值问题,Preisach平面内的点和磁化曲线上的点一一对应。但并不是所有材料的磁化过程都可以用Preisach平面来描述。Woodward和E. Della Torre认为只有统计上稳定的材料才能用Preisach平面来描述[42]。统计上稳定意味着,如果磁滞算子的特征场β和α变为β'和α',则一定存在一个磁滞算子,其特征场由β'和α'分别变为β和α。

Preisach模型中的分布函数的选择将直接影响到Preisach模型描述真实滞后现象的准确性及Preisach模型的各种特性。现有的各种Preisach模型中,分布函数的确定通常要利用实验测定的主回线及一阶、二阶回转曲线的数据来进行大量的、比较复杂的插值运算而求得。而Preisach模型对微小回线的预计上的准确性则取决于它所拟合的回转曲线的阶数,目前还没有建立可以很好地预计任意阶回转曲线的磁滞模型。并且由于Preisach分布函数是一个非稳定的量,这个非稳定量的确定问题目前还未找到很好的解决方法。

由于交变情况下磁滞行为的复杂性,目前提出的交变磁滞模型都考虑到了单个磁畴的变化行为,因而涉及到很多需要由实验测定的微观参数,而其他一些不涉及微观参量的模型(如Mayer-goyz的动态模型),其参数确定的方法也比较困难。因此,利用交变情况下的动态磁滞模型来解决实际的工程计算问题还有一定的难度。

1.2 磁滞媒质中磁场数值计算的研究概况

在传统的磁场的数值计算中,通常并未考虑媒质的磁滞效应,磁密$\vec{B}$和磁场$\vec{H}$之间用一个单值函数来表示,即使在高精度的数值计算中也仅仅是利用到了磁性材料的主磁滞回线,而对于磁性材料的微小回线并未予以考虑。这虽然在一般的情况下能够满足计算精度的要求,但为了更进一步提高其计算精度及优化设计的需要,必须借助于 Preisach 模型来处理考虑媒质磁滞效应时的磁场计算问题。对于依赖磁滞效应作为工作基础的电磁器件运行行为分析,则更加有赖于磁滞效应的计算的准确性。

1.2.1 磁场的分析与计算上的研究进展

在 Mayergoyz 之前,K. Suzuki 和 I. A. Beardsley 等人[43,44]曾用矢量 Stoner-Wolofarth(S - W)模型,利用积分方程法对考虑磁滞效应时的静磁场问题在数值计算上做了一些成功的尝试。但由于S - W模型具有一些内在的缺陷(如不能描述非对称的微小回线,需要对几个变量积分,求解缓慢等),为了克服了这些缺陷,Mayergoyz 利用其提出的矢量 Preisach 模型,采用时间步长技术(time-stepping technique)来追踪磁化过程历史,建立了磁化强度之间的局部单值行为关系式,对考虑磁滞效应时各向同性媒质的二维、三维问题的积分方程法进行了讨论[45,46]。

J. F. Ostiguy 和 P. P. Silvester 采用变分有限元方法,从能量或余能的泛函表达式出发,通过求泛函极值的方法对静磁场问题的求解方法进行了讨论,其方法是通过将整个变化过程的磁滞回线分成一系列的单值 $B - H$ 曲线,对每一段曲线引入该段的剩磁及导磁率,通过标量磁位来求解考虑磁滞时的磁场问题[47]。此外,P. J. Leonard和 D. Rodger 等也提出了采用分段单值函数,利用标量磁位的磁滞静磁场问题的非线性求解方案[48]。采用分段单值函数来进行求解时,需要对整个磁场过程中对应于各段的剩磁进行实验上的测定,但采用标量磁位求解磁场问题有其局限性。

Piergiorgio Alotto 等从磁场的基本关系式出发,推出了考虑磁滞效应时求解静磁问题的主控方程,并采用伽辽金有限元法来处理各向同性媒质中的静磁场的计算问题[49],在其提出的计算方法中,引入了所谓"Preisach engines"的概念,并讨论了保证迭代过程收敛性的方法。

T. R. Koehler 和 D. R. Fredkin 则从微磁学上自由能的基本表达式出发,讨论了利用有限元法来处理微磁学中一些问题的方法,并提出了一个数字求解方法[50]。

在交变场的数值计算上,O. Bottauscio 等提出了用标量 Preisach 模型及有限单元法来处理周期性磁场的方法[51],它是通过将非线性函数 $H = \xi(B)$ 分解为线性项与非线性项的叠加,然后通过简单的迭代方法求解,但该方法求解起来较为困难。Y. Okada 和 H. Inoune 针对磁记录过程,采用 $\overline{T} - \Omega$ 法进行了考虑磁滞时的三维交变场进行了分析[52]。该法没有采用 Preisach 模型,而是采用从磁畴概念出发的卷积模型理论来进行分析,由于在求解卷积模型理论方程中的一些困难而采用了坐标变换技术,并把有限元法与卷积模型理论有效地结合起来进行分析。但由于卷积模型理论在处理磁滞问题上的一些缺陷,因此它不能很有效地处理磁滞计算问题。

A. G. Jack 和 B. C. Mecrow 对于考虑磁滞和涡流效应时低频情况下的三维问题进行了分析[53]。他们考虑了谐波产生的影响,但没有考虑磁滞微小回线的特性且假定磁滞的 $B - H$ 回线不随频率而改变(这与实际情况并不相符),并对时间步长法和时间周期近似法进行了比较,指出在周期性变化的问题上,时间周期近似法可减小计算的工作量,优于时间步长法。

此外,Sunki Hong 等人则利用了磁化强度依赖的 Preisach 磁滞模型,用有限单元法计算了磁滞电机内的磁场分布及转子上产生的平均转矩。

1.2.2 磁滞损耗的计算的研究进展

磁性媒质中的磁滞现象必然会伴随着损耗,磁滞损耗起源于媒质的不均匀及掺杂所引起的不可逆磁化,可逆磁化不会引起损耗。磁滞损耗的计算问题是一个很经典的问题,对该问题的求解一直局限于周期性变化的磁场情况。在该情况下,磁滞损耗等于周期性变化场所引起的磁滞回线所包围的面积,然而,通常情况下的(即任意变化磁场情况下)损耗计算问题仍是一个未能解决的问题。磁滞损耗问题的求解将有助于计算磁性媒质中所产生的熵,这在磁性媒质不可逆热力学的发展上是非常重要的,同时也能够推出一个新的磁场中储能的表达式,从而最终去计算磁性媒质所产生的电磁力。

对于周期性的交变情况下的磁滞损耗计算,由于只需利用能量守恒关系便能推出,不需要涉及实际的磁滞机理,因而是比较容易的。而对于任意变化的磁场情况,仅仅靠能量守恒是不够的,这需要利用实际的磁滞模型才能确定其磁滞损耗的表达式。

I.D. Mayergoyz 和 G. Friedman 从经典 Preisach 模型及他们提出的非线性输入依赖关系模型(Input-dependent Preisach Model)出发,推出了通用的磁滞损耗的表达式。该表达式对于任意变化的磁场情况(不仅仅是周期性变化磁场)都适用,并把任意磁场变化时的磁滞损耗公式同周期性变化时的损耗公式相关联起来,证明在周期性变化的情况下,该公式在最后形式上即为磁滞回线所包围的面积[54,55],这为任意磁场变化情况下的磁滞损耗的计算提供了理论基础。由于磁滞损耗是由不可逆磁化引起的,因此其推出的两个公式应该是等价的。由于非线性模型需要拟合一阶、二阶回转曲线,而经典模型只拟合到一阶回转曲线,因此由非线性模型推出的计算公式应该更接近于实际。

G. Bertotti 等通过对 $Fe_{18}B_{13}Si_9$ 非结晶条在交变情况下动态磁滞回线的实际测定发现:在交变情况下,动态磁滞回线的宽度按磁化强度的瞬时变化率的开方规律增加。并且,他们指出磁滞损耗强烈地取决于淬火强度及表面粗糙度,同时提出了一个磁滞损耗与交变场的频率和幅值相关的磁滞损耗表达式。在该表达式中,磁滞损耗取决于磁滞场的大小、磁化强度的幅值和频率,它与频率的变化成正比,但磁滞场的大小要由平均晶粒大小、不同的局部矫顽场值间的平均最小分量等微观参数确定[56~58]。

Werner Salz 和 Karl-August Hempel 研究了在椭圆旋转磁场激励下的导电钢板内的功率损耗问题。他们指出:在不考虑涡流的影响下,在椭圆旋转磁场激励下的磁滞损耗可分为两部分,即线性交变场激励下的损耗和圆形旋转磁场激励下的损耗,并给出了这两种损耗的具体表达式[59],在表达式中涉及到了张量运算的问题。

L. L. Rouve 和 F. Ossart 等对导电迭片内的损耗计算问题进行了研究,他们利用静态、动态 Preisach 模型计算了磁密分布及相应损耗,并对不同的频率情况及磁化水平与实验结果进行了比较[77]。J. Paasi 和 A. Tuohiman 对 Bi-2223 超导体内的磁滞损耗也进行了计算[78]。

1.3 磁滞回线的模拟方法研究概况

磁性材料中的磁滞现象会影响电机及电磁设备、磁记录设备的性能。在研究这些设备的运行行为时,需要对磁滞回线进行建模或描绘。目前,描绘磁滞回线的主要方法有:①利用实验方法测出对应于输入变化时的各输出值[135],用内插法来描绘任意回线;②利用 Preisach 模型法来描绘任意回线[60]。

对于上述方法①,由于需要测定大量的数据,实施起来较为困难,而且当输入变化历程不同于实验测试时的变化历程时,不能利用测试所得的曲线或函数。对于上述方法②,可以描绘出不同变化历程中的磁滞回线,但仍需通过实验测试出的数据来确定分布函数,在确定时需经过复杂的插值处理。其他的一些方法,如磁滞回线的多分叉近似法以及 Potter 绘迹法,虽然也能对磁滞回线进行描绘,但对任意变化过程的磁滞回线的精确描述仍有欠缺。

Farouk A. A. Zaker 和 Ahmed I. Shobeir 曾在模拟计算机上对

磁滞现象进行了模拟仿真研究[61]。他们把模拟电路中的开关和控制元件数目减小到最少，以减少其引起的电路的不稳定性，并采用了放大器、乘法器、开关以及记录存储(Trace/Store)单元，分别对主回线及微小回线在模拟计算机上进行了模拟。但由于他们采用的是类似 Talukdar 和 Bailey 的模型[62]，而且对其微小回线采用了线性化近似方法，因此在对磁滞回线描述的精确性方面仍受到限制。

1.4 主要研究工作

本书在磁滞的数学模型、磁滞媒质中的数值计算及磁滞回线的模拟上都做了不少工作，具体表现在以下几个方面：

(1)由于磁化过程中存在着可逆分量，因而完善的数学模型应包含可逆分量。Mayergoyz 的标量磁滞模型(非线性模型)包含了可逆分量的贡献，但其矢量模型并未予以考虑。本书将可逆磁化分量引入其矢量模型，提出一个非线性矢量 Preisach 模型。

(2)将可逆磁化分量及各向异性特性引入 Mayergoyz 的动态矢量 Preisach 模型，从而提出了一个考虑媒质各向异性特性的动态矢量 Preisach 模型。

(3)提出了一种考虑媒质磁滞效应时静磁问题的有限元数值分析与计算方案。

(4)传统上磁滞电机的分析采用等效路的方法，且对转子环磁滞材料的磁化特性要作某种近似，而这种近似会影响计算结果的准确性。本书结合 Preisach 的磁滞模型提出一种磁滞电机的数值分析方案。

(5)提出了用人工神经网络方法来模拟磁滞多值性回线的方案。

第 2 章　磁滞的数学模型

本章从经典的 Preisach 模型出发,阐述了一些典型的标量及矢量 Preisach 模型及其数学表示,同时也对 Mayergoyz 的磁致伸缩磁滞模型及随机输入下考虑磁后效时的输入依赖 Preisach 模型给予了阐述,并对 Preisach 模型的同余特性及擦除特性进行了介绍。

2.1　标量磁滞模型

2.1.1　经典 Preisach 模型

Preisach 模型的出发点是认为一个铁磁材料由许多偶极子组成,每个偶极子的磁特性可由两个统计分布参数来描述:矫顽力 h_c 与邻近偶极子场 h_m。当外加场大于 $h_c + h_m$,偶极子处于 $+ m_s$ 状态;当外加场小于 $h_m - h_c$,偶极子处于 $- m_s$ 状态;当外加场介于 $h_c \pm h_m$ 之间时,偶极子所处状态与外加场变化历史有关(见图 2-1)。整个材料偶极子关于 h_m、h_c 有一个分布函数,这一分布函数称为 Preisach 密度函数。

经典 Preisach 模型可以用控制理论的方法描述成一个滞后传感器,对于静态的滞后非线性现象其输出与输入之间的关系是多分支的,每一分支之间的转变都在输入变化的极值之后才发生。经典的 Preisach 模型将一个铁磁材料中的许多偶极子抽象成一无穷系列的磁滞算子 $\hat{r}_{\alpha\beta}$,每一个磁滞算子 $\hat{r}_{\alpha\beta}$ 都可以用输入 - 输出平面上的一个矩形回线来表示(如图 2-2 所示)。

这里 α、β 分别表示对应于该算子输入的上、下开关场值。设

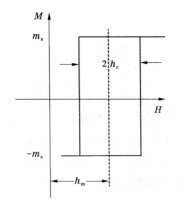

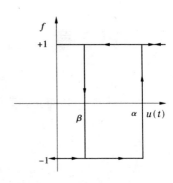

图 2-1　Preisach 磁偶极子　　　　图 2-2　单元磁滞算子

$\alpha \geqslant \beta$，每个单元磁滞算子只有两个输出值 ± 1，即 $\hat{r}_{\alpha\beta}u(t) = \pm 1$，其确定方法如下：当输入 $u(t) > \alpha$ 时，输出 f 取 $+1$；当输入 $u(t) < \beta$ 时，输出 f 取 -1。当输入 $u(t)$ 介于 β、α 之间时，若输入是逐渐增加到 $u(t)$，输出 f 取 -1；若输入是逐渐减少到 $u(t)$，输出 f 取 $+1$。这样，经典 Preisach 模型可以表示为[8]

$$f(t) = \iint_{\alpha > \beta} \mu(\alpha, \beta) \hat{r}_{\alpha\beta} u(t) \mathrm{d}\alpha \mathrm{d}\beta \qquad (2\text{-}1)$$

这里 $\mu(\alpha, \beta)$ 是加权函数，也叫 Preisach 分布函数，它的取值局限于 $\alpha - \beta$ 平面上与闭合滞后主回线对应的三角形 T 内。在这个定义域之外，$\mu(\alpha, \beta)$ 为零，每个单元磁滞算子 $\hat{r}_{\alpha\beta}$ 都与这个三角形定义域 T 中的一个点 (α, β) 一一对应（如图 2-3 所示）。因此，在任何时刻，三角形 T 可以被分成两个区域 $S^+(t)$ 和 $S^-(t)$，$S^+(t)$ 和 $S^-(t)$ 分别由 $\hat{r}_{\alpha\beta}u(t) = 1$ 和 $\hat{r}_{\alpha\beta}u(t) = -1$ 的点 (α, β) 构成，$S^+(t)$ 和 $S^-(t)$ 的分界线是一阶梯形线 $L(t)$，它的每一个顶点对应于过去输入的极值，$L(t)$ 的最后一点落在 $\alpha = \beta$ 直线上。当输入增加时，$L(t)$ 的链部为水平线，且逐渐向上移动；当输入减小时，其链部为垂直线，且逐渐向左移动。根据以上几何解释，模

型(2-1)可用下面的等价形式表示

$$f(t) = \iint_{S^+(t)} \mu(\alpha, \beta) \mathrm{d}\alpha \mathrm{d}\beta + \iint_{S^-(t)} \mu(\alpha, \beta) \mathrm{d}\alpha \mathrm{d}\beta \quad (2\text{-}2)$$

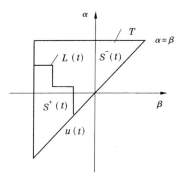

图 2-3 Preisach 分布函数的取值域 T

区域 $S^+(t)$ 和区域 $S^-(t)$ 的确定方法如下：

（1）当外加场 $u(t)$ 增加时，所有先前处于 $S^-(t)$ 区域内的单元磁滞算子中的 $\alpha < u(t)$ 的单元磁滞算子 $\hat{r}_{\alpha\beta}$ 由 $S^-(t)$ 区域转向 $S^+(t)$ 区域；

（2）当外加场 $u(t)$ 减少时，$S^+(t)$ 区域内所有满足 $\beta > u(t)$ 的单元磁滞算子 $\hat{r}_{\alpha\beta}$ 由 $S^+(t)$ 区域转向 $S^-(t)$ 区域。

现在，我们讨论分布函数 $\mu(\alpha, \beta)$ 的确定。这可以利用实验测定值通过拟合一阶回转曲线而得到，设 f_α 表示主回线上升支（或下降支）上对应于输入为 α 时的输出值，$f_{\alpha\beta}$ 表示主回线上以 α 作为回转点的一阶回转曲线下降支上对应于输入为 β 时的输出值，现定义函数

$$F(\alpha, \beta) = (f_\alpha - f_{\alpha\beta})/2 \quad (2\text{-}3)$$

利用 Preisach 模型的几何解释，可以得出

$$F(\alpha, \beta) = \iint_{T(\alpha, \beta)} \mu(x, y) \mathrm{d}x \mathrm{d}y = \int_\beta^\alpha \left(\int_\beta^y \mu(x, y) \mathrm{d}x \right) \mathrm{d}y$$

$$(2\text{-}4)$$

这里 $T(\alpha,\beta)$ 是由直线 $x=\beta,y=\alpha,y=x$ 所构成的三角形,因此有

$$\mu(\alpha,\beta) = -\frac{\partial^2 F(\alpha,\beta)}{\partial\alpha\partial\beta} \tag{2-5}$$

直接利用式(2-1)与式(2-5)进行 Preisach 模型的数值求解不太方便,这是由于:

(1)为了确定分布函数 $\mu(\alpha,\beta)$,需要对由实验获得的函数 $F(\alpha,\beta)$ 进行微分运算,这会增大函数 $F(\alpha,\beta)$ 积累的误差。

(2)为了计算输出 $f(t)$,需要进行双重积分运算。

为了克服以上缺陷,可以利用下面的显式表达式

$$f(t) = -F(\alpha_0,\beta_1) + 2\sum_{k=1}^{n}(F(\alpha_k,\beta_k) - F(\alpha_k,\beta_{k+1}))$$

$$\tag{2-6}$$

式中:α_k、β_k 分别为交接顶点 α、β 坐标的上升系列和下降系列;n 为交接线 $L(t)$ 的水平链数。

经典 Preisach 模型具有以下特性:

(1)擦除特性。每一个输入局部最大值擦除了 α 坐标小于该值的 $L(t)$ 上的所在顶点,每一个输入局部最小值擦除了 β 坐标大于该值的 $L(t)$ 上的所有顶点,顶点的擦除实际上就是擦除了与这些顶点相关的历史。

(2)同余特性。输入极大与极小值相同的所有闭合回线是相互同余的。从图 2-3 可以看出,当输入在同一个 $S(t)$ 区域内变化时,$L(t)$ 将在相同的三角形内移动。

擦除特性与同余特性构成了经典 Preisach 模型表示真实磁滞非线性的充分必要条件。

2.1.2 Mayergoyz 的非线性 Preisach 模型

为了描述非线性 Preisach 模型,仍取一无穷系列的具有矩形回线的单元磁滞算子 $\hat{r}_{\alpha\beta}$ 的集合,另外,再取一无穷系列的跨步算

子 $\hat{\lambda}_a$，其可定义为 $\hat{\lambda}_a u(t) = -1$（当 $u(t) < \alpha$ 时），$\hat{\lambda}_a u(t) = +1$
（当 $u(t) > \alpha$ 时）。与这两组算子相对应，我们使用两个权函数
$\mu(\alpha, \beta, u(t))$ 和 $r(\alpha)$，这样非线性 Preisach 模型可以表示为[12]

$$f(t) = \hat{\Gamma} u(t) = \iint_{\alpha \geqslant \beta} \mu(\alpha, \beta, u(t)) \hat{r}_{\alpha\beta} u(t) \mathrm{d}\alpha \mathrm{d}\beta$$

$$+ \int_{-\infty}^{\infty} r(\alpha) \hat{\lambda}_a u(t) \mathrm{d}\alpha \qquad (2\text{-}7)$$

非线性 Preisach 模型的几何解释如图 2-4 所示。

在任何时刻，Preisach 平面可以分为两部分，$S^+(t)$ 和
$S^-(t)$，它们分别由 $\hat{r}_{\alpha\beta} u(t) = 1$ 和 $\hat{r}_{\alpha\beta} u(t) = -1$ 的点 (α, β) 构
成。同样，直线 $\alpha = \beta$ 也分为两部分 $C^+(t)$ 和 $C^-(t)$，如果 (α, α)
$\in C^+(t)$，则有 $\hat{\lambda}_a u(t) = 1$；如果 $(\alpha, \alpha) \in C^-(t)$，则有 $\hat{\lambda}_a u(t) = $
-1。$S^+(t)$ 和 $S^-(t)$ 的分界线是一阶梯形线，它的每一个顶点
对应于过去输入的极值。根据上述解释，模型(2-7)可以用下式表
示

$$f(t) = \iint_{S^+(t)} \mu(\alpha, \beta, u(t)) \mathrm{d}\alpha \mathrm{d}\beta - \iint_{S^-(t)} \mu(\alpha, \beta, u(t)) \mathrm{d}\alpha \mathrm{d}\beta$$

$$+ \int_{-\infty}^{u(t)} r(\alpha) \mathrm{d}\alpha - \int_{u(t)}^{\infty} r(\alpha) \mathrm{d}\alpha \qquad (2\text{-}8)$$

现在，我们讨论分布函数 $\mu(\alpha, \beta, u(t))$ 的确定，这需要利用
一阶、二阶回转曲线上的实验数据得出，设 $f_{\alpha u}$ 和 $f_{\alpha\beta u}$ 分别表示从主
回线上的输入 α 值作为回转点的一阶、二阶回转曲线上对应于输
入为 $u(t)$ 时的输出值，f_α^+ 和 f_α^- 分别表示对应于输入为 α 时的主
回线的上升与下降分支的对应输出值（如图 2-5 所示）。考虑函数

$$P(\alpha, \beta, u) = f_{\alpha u} - f_{\alpha\beta u} \qquad (2\text{-}9)$$

$P(\alpha, \beta, u)$ 具有一阶与二阶回转曲线之间的输出增量的物理
意义，根据模型的几何解释，有

$$P(\alpha, \beta, u) = 2 \iint_{R(\alpha, \beta, u)} \mu(\alpha, \beta, u) \mathrm{d}x \mathrm{d}y \qquad (2\text{-}10)$$

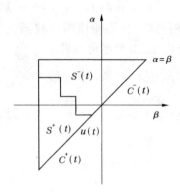 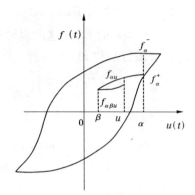

图 2-4　非线性 Preisach
　　模型的几何解释

图 2-5　一阶与二阶回转曲线

因此有

$$\mu(\alpha,\beta,u) = -\frac{1}{2}\frac{\partial^2 P(\alpha,\beta,u)}{\partial\alpha\partial\beta} \tag{2-11}$$

分布函数 $r(u)$ 可由下式确定

$$r(u) = \frac{1}{4}\frac{\mathrm{d}}{\mathrm{d}u}(f^-_{u(t)} + f^+_{u(t)}) \tag{2-12}$$

因此,可以说 $\mu(\alpha,\beta,u)$ 和 $r(u)$ 可以通过拟合主回线及一阶、二阶回转曲线而得到,因为非线性模型需要拟合一阶、二阶回转曲线,它比经典模型更加精确。

非线性 Preisach 模型保留了 Preisach 模型的擦除特性,而对其同余特性做了修改,它可以表示为:当输入变量在相同的连续极值间来回变化时,所得的局部回线对应的垂直弦长相等。由于非线性模型放宽了对同余特性的限制,因此它有更广的适用范围。同样,擦除特性与同余特性构成了非线性 Preisach 模型描述真实磁滞非线性的充分必要条件。

我们将非线性模型中的 $r(\alpha)$ 值代入,经过整理后,可以得出 Mayergoyz 的 输 入 依 赖 关 系 模 型 (Input-dependent Preisach

Model),它表示为

$$f(t) = \iint\limits_{R_{u(t)}} \mu(\alpha,\beta,u(t))\hat{r}_{\alpha\beta}u(t)\mathrm{d}\alpha\mathrm{d}\beta + \frac{1}{2}(f_{u(t)}^+ + f_{u(t)}^-)$$

(2-13)

式中：$R_{u(t)}$ 为由不等式 $\beta_0 \leqslant \beta \leqslant u(t)$，$u(t) \leqslant \alpha \leqslant \alpha_0$ 所确定的矩形；$\mu(\alpha,\beta,u(t))$ 的确定与非线性模型相同。

我们也可以把输入依赖关系模型中的分布函数看做是取决于过去输入的极值而得出 Mayergoyz 的约束 Preisach 模型[10]，它可以表示为（对于一阶约束）

$$f(t) = \int_{T_{M_1}} \int \mu(\alpha,\beta,M_1)\hat{r}_{\alpha\beta}u(t)\mathrm{d}\alpha\mathrm{d}\beta + \frac{1}{2}(f_{M_1}^+ + f_-)$$

(2-14)

式中：M_1 为离开负饱和状态后的最大输入极值；T_{M_1} 为由不等式 $\beta_- \leqslant \beta \leqslant \alpha \leqslant M_1$ 所定义的三角形；f_- 为 $u(t) = \beta_-$ 时的输出值；$\mu(\alpha,\beta,M_1)$ 为通过拟合二阶回转曲线而得出。

直接利用非线性 Preisach 模型来进行数值求解时，需要涉及微分及积分运算，求解不太方便。为此，可以利用下面的显式表达式来表示输出

$$f(t) = f_{u(t)}^+ + \sum_{i=1}^n [P(\alpha_i,\beta_{i-1},u(t)) - P(\alpha_i,\beta_i,u(t))]$$

(2-15)

式中：α_i、β_i 分别为交接顶点的 α、β 坐标的下降系列与上升系列；n 为交接线 $L(t)$ 的水平链数。

非线性 Preisach 模型与经典 Preisach 模型相比，有如下几个新特征：

(1)分布函数 $\mu(\alpha,\beta,u(t))$ 依赖于输入的当前值，因此该模型叫非线性模型。

(2)在式(2-7)右边增加了一个附加项,该项表示磁滞非线性的完全可逆分量。

(3)放宽了经典 Preisach 模型对同余特性的限制,有更广的适用范围。

(4)分布函数的确定需要拟合一阶及二阶回转曲线的值,而经典模型只拟合到一阶回转曲线,因而在对高阶微小回线的预计上更加准确。

2.1.3 Hodgdon 模型

Hodgdon 模型采用了与经典 Preisach 模型完全不同的形式,它假定 H 和 B 之间的构造关系由下面的微分方程给出[15]

$$\frac{dH}{dB} = \alpha \operatorname{sgn}\left(\frac{dH}{dt}\right)[f(B) - H] + g(B) \qquad (2-16)$$

式中:α 为一个实常数;sgn 为一个符号常数;f、g 为材料的特性常数,对于 α 和 f,g 进行合理的选择,可以描述各种铁磁材料的磁滞回线,Hodgdon 提出了一个 f 和 g 选择用指数和正切函数表示的公式,所需的实验数据常在主回线上取得。

Hodgdon 模型的一个最有趣的特性是它的微小回线具有下面的行为。当输入 H 在 H_{min} 和 H_{max} 之间振荡时,最终的回线向着一个不依赖于初始状态的稳定的回线移动,该现象也在实验中被观察到,被称为调节现象。

2.1.4 E. Della Torre 的 Moving 模型

Moving 模型修改了经典 Preisach 模型对同余特性的限制,它允许在同样的场极值间的微小回线不同余。这可以通过将 Preisach 函数中的两个变量都加上一项 αM 来得到,这里 α 是一个介质常数,同时,该模型允许将可逆分量单独建模,并把其加在不可逆分量中,Moving 模型中的分布函数用 $P(u + \alpha M, v + \alpha M)$ 来代替,其不可逆磁化率为外加场和磁化强度的函数。

$$x_{mi}(H, M) = X'_{ci}(H + \alpha M) \qquad (2-17)$$

这里撇号表示 Moving 模型中 Preisach 函数 P 被修改成 P'。

从控制观点来看,Moving 模型是一个非线性反馈模型(如图 2-6 所示),因此磁化强度必须进行迭代求解[64]。

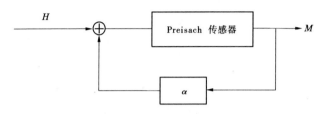

图 2-6　移动模型的框图

从式(2-17)可以看出,对于一个给定值时的磁化率,可以从 $M=0$ 时的磁化率通过将场量增加 αM 来计算

$$x_{mi}(H,M) = x_{mi}(H + \alpha M, 0) \tag{2-18}$$

同理,对于给定 H 时的磁化率,可以从 $H=0$ 时的磁化率,通过将磁化强度增加 H/α 来计算

$$x_{mi}(H,M) = x_{mi}(0, M + H/\alpha) \tag{2-19}$$

下面来讨论总磁化强度的计算,单个粒子 j 的磁化强度的可逆分量可以表示为[20]

$$m_{r,j} = \frac{(S_j + m_{i,j})}{2S_j} f_j(H) - \frac{(S_j - m_{i,j})}{2S_j} f_j(-H)$$

$$(\text{当 } m_{i,j} = \pm S_j \text{ 时}) \tag{2-20}$$

式中:$f_j(H)$ 为单个粒子可逆磁化分量。

这里采用归一化磁化强度表示:

$$m = M/M_S, m_r = M_r/M_S, m_i = M_i/M_S,$$

$$S = (M_i/M_S)_{\max} = (m_i)_{\max} \tag{2-21}$$

因此,均匀分布介质(其他介质也适用)的可逆磁化强度可表示为

$$m_r = \frac{(S + m_i)}{2S} F(H) - \frac{(S - m_i)}{2S} F(-H)$$

$$(\text{当} \mid m_i \mid < S \text{ 时}) \qquad (2\text{-}22)$$

式中:$F(H)$为各个粒子可逆磁化分量的和;S为各个粒子不可逆磁化分量S_j之和。

总的磁化强度可以表示为

$$m = m_i + m_r = m_i + \frac{(S + m_i)}{2S}F(H) - \frac{(S - m_i)}{2S}F(-H)$$
$$(2\text{-}23)$$

2.1.5 E. Della Torre 的 Product 模型及双线性 Product 模型[19,63]

当场强增加时,Product 模型按下式计算总磁化强度

$$\frac{dm}{dH_+} = R(m)\left[\beta + \int_{H_-}^{H_+} Q(H_+, H_-)dH_+ \right] \qquad (2\text{-}24)$$

式中:m 为折算后的总磁化强度($m = M/M_S$);Q 为残余 Preisach 函数;$R(m)$为非同余函数。

当场强减小时,除了 Preisach 函数的自变量外,"+、−"号要相互交换,非同余函数 $R(m)$是一个偶函数,它有开关特性,即当 $m = 1$ 时它为零。

式(2-24)的积分本身上产生一个不可逆磁化,而因子 β 产生一个可逆磁化过程,可逆磁化过程的磁化率为 $\beta R(m)$,因此在 Product 模型中,可逆磁化包含在它的基本公式中。

从控制观点来看,Product 模型是一个 Preisach 传感器后继一个非线性部分,它是一个非反馈模型。该模型把经典模型的同余特性改变为非线性同余特性。式中 $R(m)$可通过测定沿 M 轴的微小回线的高度来获得,残余函数可通过一阶回转曲线上的信息求得。

E. Della Torre 又进一步将其 Product 模型的 $Q(H_+, H_-)$分解为两个相同的单变量函数,即

$$Q(H_+, H_-) = f(H_+)f(-H_-) \qquad (2\text{-}25)$$

这里引入 $-H_-$ 是为了获得对称的主磁滞回线[13],因此总的

归一化磁化强度变化的速率(含可逆分量及不可逆分量)为

$$\frac{\mathrm{d}m}{\mathrm{d}H_+} = R(m)\left[\beta + f(H_+)\int_{H_0}^{H_+} f(-H_-)\mathrm{d}H_-\right] \quad (2\text{-}26)$$

对于主回线上升分支,β 为归一化的初始磁化率,它被定义为,当 $M=0$ 时,回转点之后的归一化磁化曲线的斜率,即 $\beta = \frac{\mathrm{d}m}{\mathrm{d}h}$,这里 $f(H)$ 可以看做是材料的矫顽函数。式(2-26)又称为双线性(bilinear)Product 模型。

2.2 矢量磁滞模型

虽然标量磁滞模型在处理各向同性媒质的磁滞问题上取得了成功,并得到了令人满意的结果,但在进行各种各样的磁记录设备与磁储能装置的设计与特性计算上,往往需要考虑媒质的各向异性问题,为此需要提出矢量磁滞模型。

标量磁滞是矢量磁滞的一种特例,当矢量输入被限定在沿任一固定方向变化时,矢量磁滞被还原为标量磁滞。在矢量磁滞情况下,输入沿所有可能方向的分量的过去历史会对它们的未来状态产生影响,因此矢量磁滞是一种输入沿所有可能方向的分量的过去极值会影响输出未来值的矢量非线性。在讨论矢量磁滞模型时,可以标量磁滞模型为构成模块,将这些模型在所有方向分量进行矢量叠加来构造矢量磁滞模型。

2.2.1 Mayergoyz 的矢量磁滞模型[8,27,66]

Mayergoyz 二维矢量 Preisach 模型可以表示为

$$\begin{aligned}
\vec{f}(t) &= \int_{-\pi/2}^{\pi/2} \hat{e}_\phi \hat{\Gamma}_\phi u_\phi(t)\mathrm{d}\phi \\
&= \int_{-\pi/2}^{\pi/2} \hat{e}_\phi \left(\iint_{\alpha \geq \beta} r(\alpha,\beta,\phi)\hat{r}_{\alpha\beta}u_\phi(t)\mathrm{d}\alpha\mathrm{d}\beta\right)\mathrm{d}\phi \quad (2\text{-}27)
\end{aligned}$$

式中:$\hat{e}_\phi$ 为沿着极角 ϕ 指定方向的单位矢量;u_ϕ 为 $\vec{u}(t)$ 沿该方向

上的投影。

在各向同性介质中,函数 r 应独立于 ϕ,因此该模型变为

$$\vec{f}(t) = \int_{-\pi/2}^{\pi/2} \hat{e}_\phi \left(\iint_{\alpha \geqslant \beta} r(\alpha,\beta) \hat{r}_{\alpha\beta} u_\phi(t) \mathrm{d}\alpha \mathrm{d}\beta \right) \mathrm{d}\phi \quad (2\text{-}28)$$

上述模型可以很容易扩充到三维情况,在球坐标系中的三维形式为

$$\vec{f}(t) = \int_0^{2\pi} \int_0^{\pi/2} \hat{e}_{\phi,\theta} \left(\iint_{\alpha \geqslant \beta} r(\alpha,\beta,\phi) \hat{r}_{\alpha\beta} u_{\phi,\theta}(t) \mathrm{d}\alpha \mathrm{d}\beta \right) \sin\theta \mathrm{d}\theta \mathrm{d}\phi$$

$$(2\text{-}29)$$

式中:$\hat{e}_{\phi,\theta}$ 为沿极角 ϕ 和 θ 指定方向上的单位矢量;$u_{\phi,\theta}(t)$ 为 $\vec{u}(t)$ 沿 $\hat{e}_{\phi,\theta}$ 方向上的投影。

在各向同性情况下,式(2-29)可简化为

$$\vec{f}(t) = \int_0^{2\pi} \int_0^{\pi/2} \hat{e}_{\phi,\theta} \left(\iint_{\alpha \geqslant \beta} r(\alpha,\beta) \hat{r}_{\alpha\beta} u_{\phi,\theta}(t) \mathrm{d}\alpha \mathrm{d}\beta \right) \sin\theta \mathrm{d}\theta \mathrm{d}\phi$$

$$(2\text{-}30)$$

下面来讨论分布函数 γ 的确定。对于二维各向同性问题,限定 $\vec{u}(t)$ 在 $\phi=0$ 的方向上进行变化,$u(t)$ 从负饱和状态经历一个单调增加过程直到其达到某个值 α,此时相应输出为 f_α,然后 $u(t)$ 从 α 开始再经历一个单调减小过程直到达到某个值 β,设此时相应输出为 $f_{\alpha\beta}$,取函数

$$F(\alpha,\beta) = \frac{1}{2}(f_\alpha - f_{\alpha\beta}) \quad (2\text{-}31)$$

另取一函数 $P(\alpha,\beta)$,使

$$P(\alpha,\beta) = \iint_{T(\alpha,\beta)} r(\alpha',\beta') \mathrm{d}\alpha' \mathrm{d}\beta' \quad (2\text{-}32)$$

则函数 $P(\alpha,\beta)$ 和 $F(\alpha,\beta)$ 应满足下面关系

$$\int_{-\pi/2}^{\pi/2} \cos\phi P(\alpha\cos\phi,\beta\cos\phi) \mathrm{d}\phi = F(\alpha,\beta) \quad (2\text{-}33)$$

设 $F(\alpha,\beta)$ 可以表示为 α、β 的一个多项式

$$F(\alpha,\beta) = \sum_{m=0}^{M} \sum_{k+s=m} a_{ks}^m \alpha^k \beta^k \qquad (2\text{-}34)$$

由式(2-33)、式(2-34)可求出

$$P(\alpha,\beta) = \sum_{m=0}^{M} \frac{a_{ks}^m}{\int_{-\pi/2}^{\pi/2} \cos^{m+1}\phi\,\mathrm{d}\phi} \sum_{k+s=m} \alpha^k \beta^s \qquad (2\text{-}35)$$

函数 $r(\alpha,\beta)$ 可由 $P(\alpha,\beta)$ 来确定

$$r(\alpha,\beta) = -\frac{\partial^2 P(\alpha,\beta)}{\partial\alpha\partial\beta} \qquad (2\text{-}36)$$

对于三维各向同性情况,在球坐标系中限定 $\vec{u}(t)$ 沿 $\theta=0$ 方向变化,与二维情况相仿,可得

$$\int_0^{2\pi}\int_0^{\pi/2} \cos\theta P(\alpha\cos\theta,\beta\cos\theta)\sin\theta\mathrm{d}\theta\mathrm{d}\phi = F(\alpha,\beta) \qquad (2\text{-}37)$$

现引入变量 $x=\alpha\cos\theta$、$\lambda=\beta/\alpha$,则上式可以表示为

$$\int_0^\alpha x P(x,\lambda x)\mathrm{d}x = \frac{\alpha^2}{2\pi}F(\alpha,\lambda\alpha) \qquad (2\text{-}38)$$

进一步整理,可得

$$P(\alpha,\lambda\alpha) = \frac{1}{2\pi\alpha}\frac{\mathrm{d}}{\mathrm{d}\alpha}[\alpha^2 F(\alpha,\lambda\alpha)] \qquad (2\text{-}39)$$

2.2.2　Stoner-Wohlfarth(S - W)模型[25]

S - W 模型的输出是非相互作用 SW 粒子的输出的加权和。每一个 SW 粒子的输出由下列两个矢量值函数 $\vec{m}_{\theta,\alpha}^+(\vec{u})$ 或 $\vec{m}_{\theta,\alpha}^-(\vec{u})$ 之一来确定,这里 θ 是粒子的易轴方向,α 为一个描述该粒子的单轴各向异性特征的常数。为了选择上面的两个函数中的一个,输入的历史必须被追踪,因此需要使用所谓的星形规则来确定方向,该方向也可通过求解能量最小方程而确定,该方程形式为

$$\cos((\phi(t)-\theta)+S\beta) = -\frac{S}{2h}\sin2\beta \qquad (2\text{-}40)$$

式中:$\phi(t)$ 为输入 $\vec{u}(t)$ 的方向,它与粒子易轴方向的夹角为

$\phi(t) - \theta$；h 为用开关场最大值 H_{max} 折算后的场值（$H_{max} = 2\alpha/M_S$）；M_S 为饱和磁矩。

设磁化强度 $\vec{m}_{\theta,\alpha}(\vec{u})$ 与粒子易轴方向的夹角为 γ，则 γ 可用下式确定

$$\beta = S(\pi/2 - \gamma) \tag{2-41}$$

式(2-41)中 $S = \pm 1$，它取决于磁化强度方向与易轴方向相同或相反。

把单元磁滞算子 $\hat{r}_{\alpha,-\alpha}$ 的两种可能状态与 SW 粒子的两种可能的输出状态相关联，在这种情况下，SW 粒子的输出由下式确定

$$\vec{m}_{\theta,\alpha}(\vec{u}) = \vec{D}_{\theta,\alpha}(\vec{u})\hat{r}_{\alpha,-\alpha}\{u(t)\xi[\phi(t) - \theta]\} + \hat{r}_{\theta,\alpha}(\vec{u}) \tag{2-42}$$

$$\xi(\varphi) = \cos\varphi[1 + \tan^{2/3}\varphi]^{3/2} \tag{2-43}$$

$$\vec{D}_{\theta,\alpha}(\vec{u}) = \frac{1}{2}[\vec{m}_{\theta,\alpha}^+(\vec{u}) - \vec{m}_{\theta,\alpha}^-(\vec{u})] \tag{2-44}$$

$$\hat{r}_{\theta,\alpha}(\vec{u}) = \frac{1}{2}[\vec{m}_{\theta,\alpha}^+(\vec{u}) + \vec{m}_{\theta,\alpha}^-(\vec{u})] \tag{2-45}$$

利用以上方程，S - W 模型的输出可以表示为

$$\vec{f}(t) = \int_{-\pi/2}^{\pi/2} d\theta \int_0^\infty \omega(\alpha,\theta)\vec{D}_{\theta,\alpha}(\vec{u})\hat{r}_{\alpha,-\alpha}\{u(t)\xi[\phi(t) - \theta]\}d\alpha$$

$$+ \int_{-\pi/2}^{\pi/2} d\theta \int_0^\infty \omega(\alpha,\theta)\hat{r}_{\theta,\alpha}(\vec{u})d\alpha \tag{2-46}$$

式中：$\omega(\alpha,\theta)$ 为分布函数。

2.2.3　E. Della Torre 的矢量磁滞模型[65,29]

E. Della Torre 也把其 Moving 模型和 Product 模型扩展到矢量情况，在其矢量 Moving 模型中，其 Preisach 函数沿一个六维空间进行积分，该空间的边界是沿三个正交垂直轴的正、负场的极值，此时其 Preisach 函数是一个六变量的函数，即 $\vec{P}(H_{+x} + \alpha_x M_x, H_{-x} + \alpha_x M_x, \cdots, H_{-z} + \alpha_z M_z)$。此时，算子 $\vec{D}$ 也是一个矢

量,它的分量可以为零,或在一个时刻最多有一个主轴分量不为零,即算子 $\vec{D}$ 只能取 $\hat{e}_x$、$-\hat{e}_x$、$\hat{e}_y$、$-\hat{e}_y$、$\hat{e}_z$、$-\hat{e}_z$ 和 0。这样,矢量 Preisach 模型可以表示为

$$\vec{M} = \int \cdots \int_{PHS} \vec{D}(H_{+x} + \alpha_x M_x, \cdots, H_{-z} + \alpha_z M_z) \vec{D}(H_{+x}$$
$$+ \alpha_x M_x, \cdots, H_{-z} + \alpha_z M_z) \vec{P}(H_{+x} + \alpha_x M_x, \cdots, H_{-z}$$
$$+ \alpha_z M_z) dH_{+x} \cdots dH_{-z} \qquad (2\text{-}47)$$

这里 PHS 为 Preisach 多维空间。如果分布是均匀分布,且在三个方向上的矫顽场分布互不关联,则矢量 Preisach 函数可以表示为

$$\vec{P}(H_{+x} + \alpha_x M_x, \cdots, H_{-z} + \alpha_z M_z) = P_x(H_{+x} + \alpha_x M_x, \cdots, H_{-x}$$
$$+ \alpha_x M_x) P_y(H_{+y} + \alpha_y M_y, \cdots, H_{-y} + \alpha_y M_y) P_z(H_{+z}$$
$$+ \alpha_z M_z, \cdots, H_{-z} + \alpha_z M_z) \vec{S} \qquad (2\text{-}48)$$

式中:$\vec{S}$ 为一个常矢量;P 为一个标量位置函数。

下面来讨论矢量算子 $\vec{D}$ 的确定。对于不考虑 $\alpha\vec{M}$ 项的简单矢量模型,如果施加一个场 $H_1 < H_x$、$H_2 < -H_x$、$H_3 > H_y$、$H_4 > H_{-y}$、$H_5 > H_z$、$H_6 > H_{-z}$,则取 $\vec{D}$ 为 $\hat{e}_x$。若 $H_1 > H_x$、$H_2 > -H_x$、$H_3 > H_y$、$H_4 > H_{-y}$、$H_5 > H_z$、$H_6 > H_{-z}$,则取 $\vec{D}$ 为 $-\hat{e}_x$。对于 y、z 方向,$\vec{D}$ 确定方法相同。在 Moving 矢量模型中,只需在计算 $\vec{D}$ 的算法中将 H_i 换成 $H_i + \alpha M_i$ 即可。在 $\vec{H}$ 和 $\vec{M}$ 变化的情况下,对于六维 PHS 上的点当 $\vec{H} + (\alpha)\vec{M}$ 的两个或多个分量超过 PHS 上的点的相应分量 $\vec{H}_p$ 时,则取 $\vec{D}$ 为沿 $\vec{H} + (\alpha)\vec{M} - \vec{H}_P$ 方向上的单位矢量。

对于矢量 Product 模型,可对标量 Product 模型的另一表达式[20](取 $R(m) = 1 - m^2$,其中 $m = \tanh(n)$)

$$n = \beta H + \iint Q(H_+, H_-) D(H_+, H_-) dH_+ dH_- \qquad (2\text{-}49)$$

进行交换,将 D 用矢量算子 $\vec{D}$ 来表示,β 用张量 $\vec{\beta}$ 表示,这样得出

的矢量 Product 模型的表达式为

$$\vec{n} = \vec{\beta} \cdot \vec{H} + \int \cdots \int_{PHS} \vec{Q}(H_x, H_{-x}, \cdots, H_{-z}) \vec{D}(H_x, H_{-x}, \cdots, H_{-z})$$

$$\times \vec{D}(H_x, H_{-x}, \cdots, H_{-z}) \mathrm{d}H_{-x} \cdots \mathrm{d}H_{-z} \quad (2\text{-}50)$$

$$\vec{m} = \frac{\vec{n} \tanh |\vec{n}|}{|\vec{n}|} \quad (2\text{-}51)$$

2.3　几种特殊情况的 Preisach 模型

2.3.1　磁致伸缩磁滞的 Preisach 模型[16]

该模型从 Mayergoyz 的非线性 Preisach 模型出发,通过在分布函数中引入与应力相关的项而得出,它可以表示为

$$f(t) = \int_{\alpha \geqslant \beta} \int \mu(\alpha, \beta, v(t)) \hat{r}_{\alpha\beta} u(t) \mathrm{d}\alpha \mathrm{d}\beta$$

$$+ \int_{\alpha \geqslant \beta} \int r(\alpha, \beta, u(t)) \hat{r}_{\alpha\beta} v(t) \mathrm{d}\alpha \mathrm{d}\beta \quad (2\text{-}52)$$

式中:$u(t)$ 为输入(磁场);$f(t)$ 为应变;$v(t)$ 为应力。

通过简单的数学变换后,式(2-52)可改写为

$$f(t) = \int_{R_{u(t)}} \int \mu(\alpha, \beta, v(t)) \hat{r}_{\alpha\beta} u(t) \mathrm{d}\alpha \mathrm{d}\beta$$

$$+ \int_{R_{v(t)}} \int r(\alpha, \beta, u(t)) \hat{r}_{\alpha\beta} v(t) \mathrm{d}\alpha \mathrm{d}\beta$$

$$+ \frac{1}{2} (f^+_{u(t)v(t)} + f^-_{u(t)v(t)}) \quad (2\text{-}53)$$

式中:$R_{u(t)}$ 与 $R_{v(t)}$ 的定义为,若 $\beta_0 \leqslant \beta \leqslant u(t) \leqslant \alpha \leqslant \alpha_0$,则 (α, β) $\in R_{u(t)}$;若 $\beta_0 \leqslant \beta \leqslant v(t) \leqslant \alpha \leqslant \alpha_0$,则 $(\alpha, \beta) \in R_{v(t)}$;$f^+_{u(t)v(t)}$ 和 $f^-_{u(t)v(t)}$ 分别表示为从负饱和(正饱和)状态出发,输入单调增加(减小)到 $u(t)$ 和 $v(t)$ 时对应的输出值。

现在来讨论函数 $\mu(\alpha,\beta,v)$ 和 $\gamma(\alpha,\beta,u)$ 的确定,这里仍利用一阶回转曲线来确定 $f_{\alpha\beta v}$ 和 $f_{u\alpha\beta}$,设输入从负饱和状态开始变化,$f_{\alpha\beta v}$ 是两个输入单调地增加到 α 和 v,然而,$u(t)$ 再单调减小到 β 时对应的输出;$f_{u\alpha\beta}$ 也用同样的方法来确定。

现定义函数

$$\begin{cases} F(\alpha,\beta,v) = \dfrac{1}{2}(f_{\alpha\beta v} - f^+_{\beta v}) \\[2mm] G(\alpha,\beta,u) = \dfrac{1}{2}(f_{u\alpha\beta} - f^+_{u\beta}) \end{cases} \tag{2-54}$$

则函数 $\mu(\alpha,\beta,v)$ 和 $r(\alpha,\beta,u)$ 可以表示为

$$\begin{cases} \mu(\alpha,\beta,v) = \dfrac{\partial^2 F(\alpha,\beta,v)}{\partial\alpha\partial\beta} \\[3mm] r(\alpha,\beta,u) = \dfrac{\partial^2 G(\alpha,\beta,u)}{\partial\alpha\partial\beta} \end{cases} \tag{2-55}$$

2.3.2 随机输入下考虑磁后效时的输入依赖 Preisach 模型[17,67]

在 Mayergoyz 的非线性模型中引入区域 $R_{u(t)}$ 的指示函数 $x(u(t))$,则变为

$$f(t) = \iint\limits_{T} x_{\alpha,\beta}(u(t))\mu(\alpha,\beta,u(t))\hat{r}_{\alpha\beta}u(t)\mathrm{d}\alpha\mathrm{d}\beta$$

$$\qquad + \frac{1}{2}(f^+_{u(t)} + f^-_{u(t)}) \tag{2-56}$$

这里 T 是由 $\alpha = \alpha_0$、$\beta = \beta_0$ 和 $\alpha = \beta$ 构成的三角形。

现考虑一个输入 $u(t)$,假定 $t = 0$ 时为 u_0,以后保持输入不变,为了给磁后效建模,现在恒定输入上加上一个干扰,即

$$\vec{u}(t) = u_0 + u'(t), \quad \vec{u'}(t) = 0 \tag{2-57}$$

这里 $\vec{u'}(t)$ 可由一个扩散过程来建模,该过程是 I_{t0} 随机微分方程的解

$$\mathrm{d}u'(t) = b(u'(t))\mathrm{d}t + \sigma(u'(t))\mathrm{d}W_t \tag{2-58}$$

这时,Preisach 模型的输出式(2-56)是一个随机过程。我们只对输出的时间演变 $\vec{f}(t)$ 感兴趣。

$$\vec{f}(t) = \iint_T E\{x_{\alpha,\beta}(u(t))\mu(\alpha,\beta,u(t))\hat{r}_{\alpha\beta}u(t)\}\mathrm{d}\alpha\mathrm{d}\beta$$

$$+ \frac{1}{2}(\vec{f}^{+}_{u(t)} + \vec{f}^{-}_{u(t)}) \tag{2-59}$$

这里

$$E\{x_{\alpha,\beta}(u(t))\mu(\alpha,\beta,u(t))\hat{r}_{\alpha\beta}u(t)\} = \int_{\beta}^{\alpha}\mu(\alpha,\beta,u(t))$$

$$\times (\varphi_t^{\alpha,\beta}(u(t),1) - \varphi_t^{\alpha,\beta}(u(t),-1))\mathrm{d}u \tag{2-60}$$

因此,输出期望值的时间演变可以表示为

$$\vec{f}(t) = \iint_T \mathrm{d}\alpha\mathrm{d}\beta\int_{\beta}^{\alpha}\mathrm{d}u\mu(\alpha,\beta,u(t))(\varphi_t^{\alpha,\beta}(u(t),1)$$

$$- \varphi_t^{\alpha,\beta}(u(t),-1)) + \frac{1}{2}\int_{-\infty}^{\infty}(f^{+}(u(t))$$

$$+ f^{-}(u(t))\rho_t(u(t))\mathrm{d}u \tag{2-61}$$

这里联合密度函数可以表示为

$$\varphi_t^{\alpha,\beta}(u,\pm 1) = \rho_t(u) \cdot \begin{cases} 0 & (u < \beta) \\ 1 & (u > \alpha) \end{cases} \tag{2-62}$$

$$\begin{cases} \varphi_t^{\alpha,\beta}(u,1) = \rho_t(u) \cdot (q_{\alpha,\beta}(t) - \int_{\alpha}^{\infty}\rho_t(u)\mathrm{d}u)/\int_{\beta}^{\alpha}\rho_t(u)\mathrm{d}u \\ \qquad (\beta < u < \alpha) \\ \varphi_t^{\alpha,\beta}(u,-1) = \rho_t(u) \cdot (1 - q_{\alpha,\beta}(t) - \int_{-\infty}^{\beta}\rho_t(u)\mathrm{d}u)/\int_{\beta}^{\alpha}\rho_t(u)\mathrm{d}u \\ \qquad (\beta < u < \alpha) \end{cases}$$

$$\tag{2-63}$$

这里 $q_{\alpha,\beta}(t) = P\{\hat{r}_{\alpha,\beta}u(t) = \pm 1\}$,$\rho_t$ 为概率密度函数,在实际情况下,可以假定输入干扰是稳定的,此时 ρ_t 与时间无关 $\rho_t \rightarrow \rho_0$。

2.4 小结

对 Preisach 模型的研究一直是磁学界对磁滞现象研究的焦点问题,Preisach 模型有两个重要特性,即同余特性和擦除特性。由于经典 Preisach 模型有一些限制,I. D. Mayergoyz 和 E. Della Torre 分别提出了各自的一套标量和矢量 Preisach 磁滞模型,本章对这些模型进行了系统的阐述,同时也对其他一些重要模型(Hodgdon 模型和 S - W 模型)进行了阐述。

第3章 Preisach 磁滞模型的分析与研究

本章讨论了不同的磁化过程所对应的 Preisach 图表构成,提出了 Preisach 分布函数的确定方法,同时也详细地阐述了 Preisach 模型的可逆性及其同余特性,并且将磁化可逆分量引入矢量 Preisach 模型,将 Mayergoyz 的矢量 Preisach 模型进行了扩展,提出了一个非线性矢量 Preisach 模型。

3.1 Preisach 图(平面)

铁磁材料的 Preisach 模型认为每个单元的磁滞算子具有一个理想的磁滞回线,即它只有两个值,取值 ±1。利用 Preisach 模型进行磁滞的计算是非常便利的。Preisach 模型采用了 Preisach 图表示方法,对于不同的磁化过程,其 Preisach 图构成也不同。

Preisach 图在描述磁化过程中的不可逆过程及记录磁化历史的有意义的回转点变化序列上是非常有用的,利用它可以非常方便地描绘任意复杂的磁化过程。当外加场增加时,临界场值小于或等于外加场以及那些沿反向磁化的单元磁滞算子改变其方向,使与外场方向一致。当外加场减小时,那些沿磁场方面磁化的算子以及临界场大于或等于外加场的算子也将改变其磁化方向。

Preisach 图(平面)的构成是由磁化过程的历史来决定的:图 3-1 表示在静磁场激励下,初始磁化曲线图 3-1(a)及其对应的 Preisach 图 3-1(b)的构成[83]。图中 H_a 和 H_b 分别表示单元磁滞算子的上、下开关场值,上升与下降箭头所表示的两部分分别为 Preisach 图的 $S^+(t)$ 和 $S^-(t)$ 两个区域。在图 3-1(b)中,随着外加磁场的增加,那些临界值小于或等于外加场 H 的单元磁滞算子要改变方向使与外加场方向保持一致,其对应的点处于 $S^+(t)$ 区域。由于磁性材料在无外加场时,其磁畴的方向是杂乱无章的,所以那些临界场值大于外加场的单元磁滞算子中,其初始磁化方向与外加场方向一致的和那些初始磁化方向与外加场方向的夹角的绝对值小于 90°的,也有一部分与外加场方向保持一致,对应的点处于 $S^+(t)$ 区域。

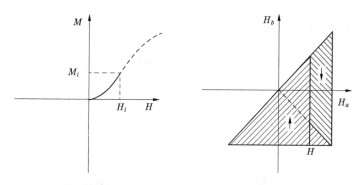

　　(a)初始磁化曲线　　　　(b)对应于初始磁化曲线的 Preisach 图
图 3-1　在静磁场激励下初始磁化曲线及其对应的 Preisach 图

　　图 3-2 表示在静磁场激励下,饱和磁化曲线上分支及其对应的 Preisach 图的构成。在图 3-2(b)中,在正向饱和时所有单元磁滞算子所对应的点都处在 $S^+(t)$ 区域,随着外加场的减小,原先处于 $S^+(t)$ 区域且其下开关场值大于或等于外加场的那部分算子将改变方向而处于 $S^-(t)$ 区域。

　　图 3-3 表示在静磁场激励下,饱和磁化曲线下分支及其对应的 Preisach 图的构成。在图 3-3(b)中,在负饱和时所有单元磁滞算子所对应的点都处在 $S^-(t)$ 区域,随着外加场的增加,原先处于 $S^-(t)$ 区域且其上开关场值小于或等于外加场的那部分算子将改变方向而处于 $S^+(t)$ 区域。

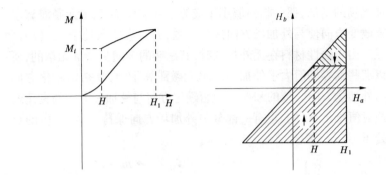

(a)饱和磁化曲线的上分支　　　(b)对应于饱和磁化曲线上分支的 Preisach 图

图 3-2　在静磁场激励下饱和磁化曲线的上分支及其对应的 Preisach 图

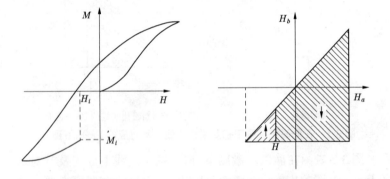

(a)饱和磁化曲线的下分支　　　(b)对应于饱和磁化曲线下分支的 Preisach 图

图 3-3　在静磁场激励下饱和磁化曲线的下分支及其对应的 Preisach 图

3.2　Preisach 分布函数

为了利用 Preisach 图来描绘任一磁滞回线,我们必须知道 Preisach 分布函数。Preisach 分布函数通常由实验测定方法来获得,它的选择正确与否直接关系到计算结果的准确性。经典 Preisach 模型并未考虑磁化强度的可逆分量,因此由其分布函数得出的磁化曲线的初始磁化率为零。Preisach 分布函数的选择是很复杂的。

Everett 认为,要对磁化曲线的上升与下降分支用一个比较好的、通用的分布函数来表示,在理论上是比较困难的[84]。这是因为:①分布函数的概念假定一个给定磁畴(或磁偶极子)的状态独立于其邻近的磁畴(或磁偶极子);②分布函数只限定有两种可能的取值,并未考虑磁畴的取向;③未包含与时间相关的过程。

由于分布函数假定在整个磁化过程中保持不变,因此理论上计算所得的磁滞回线在其端点处总是闭合的,而实验上测定的磁滞回线并不闭合。在低场区的 Rayleigh 回线的相同幅值场的回转点之间的磁化强度之间存在的偏差已被实验所证实。因此,在磁化过程的不同阶段,分布函数并不是稳定的,然而到目前为止,还没有办法来确定这个不稳定函数。

下面我们讨论用拉格朗日插值多项式确定 Mayergoyz 的非线性 Preisach 模型中分布函数的方法。

设在磁滞主回线上选取测试的一阶回转曲线(其回转点在主磁滞回线或在初始磁化曲线上的各回转曲线)数为 M。对每条一阶回转曲线所选取的测试点的数为 L。每个一阶回转曲线测试点所对应的二阶回转曲线(其回转点在一阶回转曲线上的各回转曲线)上所选取的测试点数为 N。由非线性模型有

$$P(\alpha, \beta, H) = f_{\alpha H} - f_{\alpha \beta H} \tag{3-1}$$

式中:$f_{\alpha H}$ 为以 α 为一阶回转点的一阶回转曲线上对应输入为 H 时的输出值;$f_{\alpha \beta H}$ 为其二阶回转点 β 起源于以 α 为一阶回转点的一阶回转曲线的二阶回转曲线上对应输入为 H 时的输出值。

首先对第 k 条一阶回转曲线的第一个二阶回转点所对应的二阶回转曲线的各个 $P(\alpha_k, \beta_l, H)$ 进行插值处理。设所取各点的 P 值分别为 P_1、P_2、$\cdots$、P_N,利用拉氏插值公式,得

$$P_k(H) = \sum_{n=1}^{N} P_n \left(\prod_{\substack{n'=1 \\ n' \neq n}}^{N} \frac{H - H_n{}'}{H_n - H_n{}'} \right) \qquad (3-2)$$

现在对第 k 条一阶回转曲线进行拉氏插值。设对应于每个二阶回转点经过式(3-1)插值所得的各函数分别为 $P_1(H)$、$P_2(H)$、$\cdots$、$P_L(H)$，则第二步插值后，得

$$P_k{}'(\beta, H) = \sum_{l=1}^{L} P_l(H) \left(\prod_{\substack{l'=1 \\ l' \neq l}}^{L} \frac{\beta - \beta_l{}'}{\beta_l - \beta_l{}'} \right) \qquad (3-3)$$

同样，经第三次拉氏插值后，得

$$P''(\alpha, \beta, H) = \sum_{m=1}^{M} P_m{}'(\beta, H) \left(\prod_{\substack{m'=1 \\ m' \neq m}}^{M} \frac{\alpha - \alpha_m{}'}{\alpha_m - \alpha_m{}'} \right) \qquad (3-4)$$

因此，最后求得的分布函数形式为

$$\mu(\alpha, \beta, H) = -\frac{1}{2} \frac{\partial^2}{\partial \alpha \partial \beta} \left[\sum_{m=1}^{M} \left(\sum_{l=1}^{L} \left(\sum_{n=1}^{N} P_n \left(\prod_{\substack{n'=1 \\ n' \neq n}}^{N} \frac{H - H_n{}'}{H_n - H_n{}'} \right) \right) \right. \right.$$
$$\left. \left. \times \left(\prod_{\substack{l'=1 \\ l' \neq l}}^{L} \frac{\beta - \beta_l{}'}{\beta_l - \beta_l{}'} \right) \right) \prod_{\substack{m'=1 \\ m' \neq m}}^{M} \frac{\alpha - \alpha_m{}'}{\beta_m - \beta_m{}'} \right] \qquad (3-5)$$

3.3　Preisach 模型的可逆性

3.3.1　可逆过程与不可逆过程

　　可逆磁化过程与不可逆磁化过程在概念上有明显的区别。不可逆磁化过程引起能量损耗，而可逆磁化过程与能量的储存和释放相关联，并不引起损耗。可逆磁化可能是由于畴壁在钉扎点之间的弯曲和由于弹性应力作用造成的畴壁磁化的可逆旋转而形成。当畴壁在一个能量密度随机波动的势中运动时，如果畴壁不能逃离给定的势阱，则畴壁运动是可逆的。而不可逆磁化过程与畴壁的不稳定性有关，如 Barkhausen 跳跃，当畴壁出现由一个势阱到另一个势阱的跳跃时，畴壁运行是不可逆的。因为可逆磁化

过程的存在会造成开关场的单元磁滞算子的非矩形。

在经典的 Preisach 模型中,假定每个媒质偶极子有一个理想的矩形 $M-H$ 特性,即它只能处于两种状态 $\pm M_S$(如图 3-4 所示)。因此,单元磁滞算子 $\hat{r}_{\alpha\beta}H(t)$ 可以用矩形回线表示,它只有两个状态 ± 1,α、β 分别对应于输入的上、下开关场值(如图 3-5 所示)。

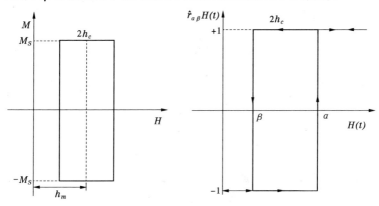

图 3-4　单个偶极子的 $M-H$ 特性　　图 3-5　单元磁滞算子 $\hat{r}_{\alpha\beta}$

每个单元磁滞算子(上、下开关场值为 α、β)与 Preisach 平面上的一个点相对应。经典 Preisach 模型对磁滞的描述可表示为

$$M(t) = \hat{\Gamma}H(t) = \iint_{\alpha \geqslant \beta} \mu(\alpha, \beta)\hat{r}_{\alpha\beta}H(t)\mathrm{d}\alpha\mathrm{d}\beta \qquad (3\text{-}6)$$

这里 $\hat{r}_{\alpha\beta}$ 是单元磁滞算子,α、β 为上、下开关场值。由于经典模型的单元磁滞算子仅描述一个矩形回线,因此,由该模型得出的磁化曲线在每个回转点处具有零初始磁化率,这与实际的磁化曲线并不相符。因此,普遍认为经典模型只能描述不可逆磁化过程。

然而,对于实际的媒质粒子(如 Stoner-Wohlfar 粒子),由于存在着可逆过程,它的单元磁滞算子并不是一个矩形回线,而是与外加场成一角度(如图 3-6 所示)。

这里 $a—b$ 和 $c—d$ 表示可逆磁化区域,沿这些区域 $M-H$

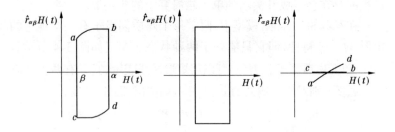

图 3-6　实际的媒质粒子单元磁滞算子

曲线是单值的,且$\dfrac{\mathrm{d}M}{\mathrm{d}t}>0$,沿 a—c 和 b—d 出现不可逆跳跃。因此,可以将其分解为可逆分量和不可逆分量的叠加。

3.3.2　各种磁滞模型中的可逆分量计算

　　由于存在着可逆分量,经典 Preisach 模型必须作相应的修改,使得能包含可逆分量,此时,磁化强度为

$$M = M_{\mathrm{ir}} + M_{\mathrm{rev}} \tag{3-7}$$

　　物理学家早就开始考虑磁化可逆分量的计算,Gans 方程认为可逆导磁率直接正比于朗之万函数的微分。Neel 的磁滞模型在 Rayleigh 区对可逆、不可逆分量进行了联合描述。在低外加场时,Neel 模型等同于 Preisach 模型,他认为 Preisach 密度函数 $p(\alpha,\beta)$ 不仅在 $\alpha>\beta$ 区域内有意义,而且对于 $\alpha<\beta$ 区域也有意义,在可逆区域内,$p(\alpha,\beta)$ 也是相同的。在 Atherton 提出的扩展 Preisach 模型中,把可逆磁化分量分离出来,它表示为

$$M_{\mathrm{rev}} = \chi M_S L[(H + \alpha M / a)] \tag{3-8}$$

式中:L 为朗之万函数;χ 为比例系数。

　　在 Mayergoyz 非线性 Preisach 模型中,在不可逆分量的项的基础上,增加了一项描述可逆磁化分量的项,该项可以表示为

$$M_{\mathrm{rev}} = \int_{-\infty}^{\infty} r(\alpha)\hat{\lambda}H(t)\mathrm{d}\alpha \tag{3-9}$$

这里,函数 $r(\alpha)$ 可以通过拟合主回线的上、下分支而得到。

$$r(\alpha) = \frac{1}{4}\frac{\mathrm{d}}{\mathrm{d}t}(M^+_{H(t)} + M^-_{H(t)}) \tag{3-10}$$

式中:$M^+_{H(t)}$、$M^-_{H(t)}$分别代表主回线上、下分支对应输入为 $H(t)$ 时的输出值。

算子 $\hat{\lambda}$ 和 $\alpha - \beta$ 平面上的直线 $-H_S \leqslant \beta = \alpha \leqslant H_S$ 上的点一一对应(如图 3-7 所示)。

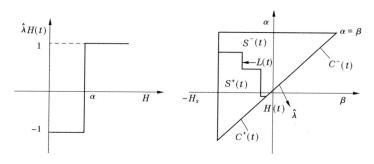

(a)单元算子 $\hat{\lambda}$　　　(b)算子 $\hat{\lambda}$ 和 $\alpha - \beta$ 平面的对应关系

图 3-7　单元算子 $\hat{\lambda}$ 及其和 $\alpha - \beta$ 平面的对应关系

在 E. Della Torre 的 Moving 模型中,考虑到了内部静磁相互作用的贡献,用一个有效场 $H_{\mathrm{eff}} = H + \alpha'M$ 来代替经典Preisach模型中的磁化场,这里 α' 为一媒质移动参数。这时,Preisach 函数用 $\mu(\alpha + \alpha'M, \beta + \alpha'M)$ 来代替。其磁化强度可逆分量可以从单个粒子的可逆分量推出。即

$$m_{\mathrm{rev}} = \frac{(S + m_{\mathrm{ir}})}{2S}F(H) - \frac{(S + m_{\mathrm{ir}})}{2S}F(-H) \quad (\text{对于}\ |\ m_{\mathrm{ir}}\ |) < S) \tag{3-11}$$

$$m_{\mathrm{rev}} = M_{\mathrm{rev}}/M_S,\ m_{\mathrm{ir}} = M_{\mathrm{ir}}/M_S,\ S = (M_{\mathrm{ir}}/M_S)_{\max} \tag{3-12}$$

当场强增加时,E. Della Torre 的乘积模型可以表示为:

$$\frac{\mathrm{d}m}{\mathrm{d}H_+} = R(m)\left[\beta + \int_{H_0}^{H_+} Q(H_+, H_-)\mathrm{d}H_-\right] \quad (3\text{-}13)$$

式中: $m = M/M_s$; Q 为残余 Preisach 函数; $R(m)$ 为非同余函数。

方程(3-13)可以解释为: 磁化率 = 活动畴壁数 × 单个畴壁磁化率,其中 $R(m)$ 代表与畴壁成比例的项。β 表示可逆畴壁运动的磁化率,其可逆磁化的贡献为 $\beta R(m)$, $R(m)$ 为偶函数。

3.3.3　可逆磁化分量的测定[74~76]

在磁滞回线的每个回转点处,回转前后回线的斜率是不同的,回转前含有可逆分量与不可逆分量两者的贡献,而回转后只有可逆磁化的贡献。当不考虑可逆磁化的贡献时,即经典 Preisach 模型所规定的零初始斜率,可逆磁化分量提供了一个非零初磁化率(斜率)。

可逆磁化分量可以通过递增地进行场的微小回转而测得。只要场的回转足够小,微小回线的磁滞可忽略,因此,它们的斜率便提供了可逆磁化率。从 David、L. Atherton 等人所进行的测量实验中也说明了: 可逆磁化分量独立于场和磁化历史,只是磁化强度的函数,这实际上是 Weiss 有效平均场的一个特例。

3.4　考虑磁滞可逆性的一个非线性矢量 Preisach 模型

3.4.1　引言

经典 Preisach 模型[8]虽然可以描述磁滞现象中磁化过程的高阶微小回线,但由于其单元磁滞算子只有两种可能取值,故不能对磁滞的可逆性进行有效的描述。Mayergoyz 提出的矢量 Preisach 模型[27]虽然在处理媒质的各向异性问题上得到了很好的应用,与传统的 Stoner-Wolhfarth(S-W)模型[23]相比具有很多优点,但 Mayergoyz 的矢量 Preisach 模型是以经典 Preisach 模型为构成模块,可以看成是经典 Preisach 模型沿所有可能方向分量的叠加,因此它保留了经典 Preisach 模型的一些缺陷:如同余特性要求过于严格,不能描述磁化过程的可逆行为等。

Mayergoyz 的非线性标量 Preisach 模型包含了磁滞非线性的完全可逆分量,且放宽了经典 Preisach 模型对同余特性的一些限制[12],该模型在预计高阶回转曲线的准确性上比经典 Preisach 模型有很大提高。在此以 Mayergoyz 的非线性 Preisach 模型为构成模块,推导一个包含磁滞可逆行为的矢量 Preisach 模型。

3.4.2 模型的提出

非线性标量 Preisach 模型可以表示为

$$M(t) = \iint_{\alpha \geqslant \beta} \mu[\alpha,\beta,H(t)]\hat{r}_{\alpha\beta}H(t)\mathrm{d}\alpha\mathrm{d}\beta + \int_{-\infty}^{\infty} r(\alpha)\hat{\lambda}H(t)\mathrm{d}\alpha$$

$$(3\text{-}14)$$

式中:$H(t)$、$M(t)$ 分别为磁场强度和磁化强度;$\mu[\alpha,\beta,H(t)]$、$r(\alpha)$ 为 Preisach 分布函数;$\hat{r}_{\alpha\beta}$、$\hat{\lambda}$ 为单元磁滞算子。

由于矢量磁滞的输入沿所有可能方向分量的过去极值都会影响到输出的未来值,矢量模型可看做是标量模型在所有方向的输出分量的矢量叠加,因此在极坐标系下的二维矢量模型为

$$M(t) = \int_{-\pi/2}^{\pi/2} \hat{e}_\varphi \left\{ \iint_{\alpha \geqslant \beta} \mu[\alpha,\beta,H(t),\varphi]\hat{r}_{\alpha\beta}H_\varphi(t)\mathrm{d}\alpha\mathrm{d}\beta \right\} \mathrm{d}\varphi$$

$$+ \int_{-\pi/2}^{\pi/2} \hat{e}_\varphi \left[\int_{-\infty}^{\infty} r(\alpha,\varphi)\hat{\lambda}H_\varphi(t)\mathrm{d}\alpha \right] \mathrm{d}\varphi \qquad (3\text{-}15)$$

对于各向同性媒质,上式可简化为

$$M(t) = \int_{-\pi/2}^{\pi/2} \hat{e}_\varphi \left\{ \iint_{\alpha \geqslant \beta} \mu[\alpha,\beta,H(t)]\hat{r}_{\alpha\beta}H_\varphi(t)\mathrm{d}\alpha\mathrm{d}\beta \right\} \mathrm{d}\varphi$$

$$+ \int_{-\pi/2}^{\pi/2} \hat{e}_\varphi \left[\int_{-\infty}^{\infty} r(\alpha)\hat{\lambda}H_\varphi(t)\mathrm{d}\alpha \right] \mathrm{d}\varphi \qquad (3\text{-}16)$$

同样,在球坐标系中考虑可逆磁化分量后的三维矢量模型为

$$M(t) = \int_{0}^{2\pi}\int_{-\pi/2}^{\pi/2} \hat{e}_{\varphi,\theta} \left\{ \iint_{\alpha \geqslant \beta} \mu[\alpha,\beta,\varphi,\theta,H(t)\hat{r}_{\alpha\beta}H_{\varphi,\theta}(t)\mathrm{d}\alpha\mathrm{d}\beta]\sin\theta\mathrm{d}\theta\mathrm{d}\varphi \right\}$$

$$+ \int_0^{2\pi} \int_{-\pi/2}^{\pi/2} \hat{e}_{\varphi,\theta} \left[\int_{-\infty}^{\infty} r(\alpha,\varphi,\theta) \lambda H_{\varphi,\theta}(t) \mathrm{d}\alpha \right] \sin\theta \mathrm{d}\theta \mathrm{d}\varphi$$

$$(3\text{-}17)$$

式(3-15)、式(3-16)与式(3-17)中右边第一项代表不可逆磁化分量,第二项代表可逆磁化分量。以上三式就是提出的考虑磁滞可逆性的矢量 Preisach 模型,由于在分布函数中引入了与输入相关联的项 $H(t)$,因此我们称其为非线性矢量 Preisach 模型。

3.4.3 二维各向同性非线矢量 Preisach 模型的证明

非线性矢量 Preisach 模型的证明问题可以被还原为一个将函数 $P(\alpha,\beta)$ 与标量磁滞数据相关联的积分方程进行联合求解,从而确定出模型中的分布函数表达式的问题。

对于二维各向同性媒质,用 M_α^+、M_α^- 分别表示沿某一方向上的主回线的上、下分支,对应于输入为 α 时的输出分量,用 $M_{\alpha H}$、$M_{\alpha\beta H}$ 分别表示从主回线上的输入 α 值作为回转点的一阶、二阶回转曲线上对应于输入为 $H(t)$ 时的输出值,这可由实验测定。分别取函数 $F_1(\alpha)$ 和 $F_2(\alpha,\beta,H)$ 为

$$F_1(\alpha) = \frac{1}{2}(M_\alpha^+ + M_\alpha^-) \qquad (3\text{-}18)$$

$$F_2(\alpha,\beta,H) = M_{\alpha H} - M_{\alpha\beta H} \qquad (3\text{-}19)$$

另取函数 $P_1(\alpha)$ 和 $P_2(\alpha,\beta,H)$,$F_1(\alpha)$ 和 $F_2(\alpha,\beta,H)$ 之间的关系分别为

$$\int_{-\pi/2}^{\pi/2} \cos\varphi P_1(\alpha\cos\varphi) \mathrm{d}\varphi = F_1(\alpha) \qquad (3\text{-}20)$$

$$\int_{-\pi/2}^{\pi/2} \cos\varphi P_2(\alpha\cos\varphi,\beta\cos\varphi,H\cos\varphi) \mathrm{d}\varphi = F_2(\alpha,\beta,H)$$

$$(3\text{-}21)$$

通常 $F_1(\alpha)$ 可以表示为 α 的一个多项式

$$F_1(\alpha) = \sum_{m=0}^{M} a^m \alpha^m \qquad (3\text{-}22)$$

$F_2(\alpha,\beta,H)$可以表示为 α、β 的一个多项式

$$F_2(\alpha,\beta,H) = \sum_{n=0}^{N} \sum_{k+s=n} a_{ks}{}^n \alpha^k \beta^s \qquad (3\text{-}23)$$

这样,可以得出

$$P_1(\alpha) = \sum_{m=0}^{M} \frac{a^m \alpha^m}{\displaystyle\int_{-\pi/2}^{\pi/2} \cos^{m+1}\varphi \,\mathrm{d}\varphi} \qquad (3\text{-}24)$$

$$P_2(\alpha,\beta,H) = \sum_{n=0}^{N} \frac{a_{ks}{}^n}{\displaystyle\int_{-\pi/2}^{\pi/2} \cos^{n+1}\varphi \,\mathrm{d}\varphi} \sum_{k+s=n} \alpha^k \beta^s \qquad (3\text{-}25)$$

函数 $r(\alpha)$ 和 $\mu(\alpha,\beta,H(t))$ 可由函数 $P_1(\alpha)$ 和 $P_2(\alpha,\beta,H)$ 来确定

$$r(\alpha) = \frac{1}{2} \frac{\partial P_1(\alpha)}{\partial \alpha} = \sum_{m=0}^{M} \frac{m a^m \alpha^{m-1}}{2\displaystyle\int_{-\pi/2}^{\pi/2} \cos^{m+1}\varphi \,\mathrm{d}\varphi} \qquad (3\text{-}26)$$

$$\mu[\alpha,\beta,H(t)] = -\frac{1}{2} \frac{\partial^2 P_2(\alpha,\beta,H)}{\partial \alpha \partial \beta}$$

$$= -\sum_{n=0}^{N} \frac{ks a_{ks}^n}{2\displaystyle\int_{-\pi/2}^{\pi/2} \cos^{n+1}\varphi \,\mathrm{d}\varphi} \sum_{k+s=n} \alpha^{k-1} \beta^{s-1} \qquad (3\text{-}27)$$

因此二维各向同性媒质的矢量 Preisach 模型可表示为

$$M(t) = -\int_{-\pi/2}^{\pi/2} \hat{e}_\varphi \left[\iint_{\alpha \geqslant \beta} \left(\sum_{n=0}^{N} \frac{ks a_{ks}^n}{2\displaystyle\int_{-\pi/2}^{\pi/2} \cos^{n+1}\varphi \,\mathrm{d}\varphi} \right.\right.$$

$$\left.\left. \times \sum_{k+s=n} \alpha^{k-1} \beta^{s-1} \right) \hat{r}_{\alpha\beta} H_\varphi(t) \,\mathrm{d}\alpha \,\mathrm{d}\beta \right] \mathrm{d}\varphi$$

$$+ \int_{-\pi/2}^{\pi/2} \hat{e}_\varphi \left[\int_{-\infty}^{\infty} \left(\sum_{m=0}^{M} \frac{m a^m \alpha^{m-1}}{2\displaystyle\int_{-\pi/2}^{\pi/2} \cos^{m+1}\varphi \,\mathrm{d}\varphi} \right) \hat{\lambda} H_\varphi(t) \,\mathrm{d}\alpha \right] \mathrm{d}\varphi$$

$$(3\text{-}28)$$

3.4.4 二维各向异性非线性矢量 Preisach 模型的证明

对于二维各向异性媒质,将函数 $r(\alpha,\varphi)$ 与 $\mu(\alpha,\beta,H,\varphi)$ 在区间 $(-\pi/2,\pi/2)$ 内进行有限傅立叶级数展开,得

$$r(\alpha,\varphi) = \sum_{n=-N}^{N} r_n(\alpha)e^{i2n\varphi} \tag{3-29}$$

$$\mu(\alpha,\beta,H,\varphi) = \sum_{m=-M}^{M} \mu_m(\alpha,\beta,H)e^{i2m\varphi} \tag{3-30}$$

现假定沿极角 φ_j 指定方向进行实验测定

$$\varphi_j = -\frac{\pi}{2} + \frac{j\pi}{2N+1} \quad (j = 0,1,2,\cdots,2N) \tag{3-31}$$

设 M_α^{+j}、M_α^{-j} 表示沿指定方向 φ_j 对应输入为 α 时,主回线的上、下分支对应输出值。$M_{\alpha H}^{j}$、$M_{\alpha\beta H}^{j}$ 表示沿指定方向 φ_j 从主回线上的输入 α 值作为回转点的一阶、二阶回转曲线上对应输入为 $H(t)$ 时的输出值,这可由实验测定。取函数

$$F_j(\alpha) = \frac{1}{2}(M_\alpha^{+j} + M_\alpha^{-j}) \tag{3-32}$$

$$F_j'(\alpha,\beta,H) = M_{\alpha H}^{j} - M_{\alpha\beta H}^{j} \tag{3-33}$$

另取函数 $P_n(\alpha)$ 与 $P_m'(\alpha,\beta,H)$,它与 $F_j(\alpha)$ 和 $F_j'(\alpha,\beta,H)$ 之间的关系为

$$\sum_{n=-N}^{N} e^{i2n\varphi_j} \int_{-\pi/2}^{\pi/2} e^{i2n\varphi}\cos\varphi' P_n(\alpha\cos\varphi')d\varphi' = F_j(\alpha) \tag{3-34}$$

$$\sum_{m=-M}^{M} e^{i2m\varphi_j} \int_{-\pi/2}^{\pi/2} e^{i2m\varphi}\cos\varphi' P_n(\alpha\cos\varphi',\beta\cos\varphi',H\cos\varphi')d\varphi'$$
$$= F_j(\alpha,\beta,H) \tag{3-35}$$

这里 $\varphi' = \varphi - \varphi_j$,将以上两式进行逆向傅立叶变换,通过引入函数

$$Q_n(\alpha) = \frac{(-1)^n}{2N+1} \sum_{j=0}^{2N} F_j(\alpha)e^{-i[nj2\pi/(2N+1)]} \tag{3-36}$$

$$Q_m'(\alpha,\beta,H) = \frac{(-1)^m}{2M+1} \sum_{j=0}^{2M} F_j'(\alpha,\beta,H)e^{-i[mj2\pi/(2M+1)]}$$

$$\tag{3-37}$$

可得下面公式

$$\int_{-\pi/2}^{\pi/2} \cos 2n\varphi \cos\varphi P_n(\alpha\cos\varphi)\mathrm{d}\varphi = Q_n(\alpha) \qquad (3\text{-}38)$$

$$\int_{-\pi/2}^{\pi/2} \cos 2m\varphi \cos\varphi P_m{'}(\alpha\cos\varphi,\beta\cos\varphi,H\cos\varphi)\mathrm{d}\varphi = Q_m{'}(\alpha,\beta,H)$$

$$(3\text{-}39)$$

通常 $Q_n(\alpha)$ 可以表示为 α 的一个多项式

$$Q_n(\alpha) = \sum_{n'=0}^{N'} q^{n'}\alpha^{n'} \qquad (3\text{-}40)$$

$Q_m{'}(\alpha,\beta,H)$ 可以表示为 α、β 的一个多项式

$$Q_m{'}(\alpha,\beta,H) = \sum_{m'=0}^{M'} \sum_{k+s=m'} q_{ks}^{'(m,m')}\alpha^k\beta^s \qquad (3\text{-}41)$$

由式(3-38)、式(3-39)便可求得 $P_n(\alpha)$ 与 $P_m{'}(\alpha,\beta,H)$，函数 $r(\alpha,\varphi)$ 与 $\mu(\alpha,\beta,H,\varphi)$ 可由 $P_n(\alpha)$ 及与 $P_m{'}(\alpha,\beta,H)$ 来确定

$$r(\alpha,\varphi) = \frac{1}{2}\sum_{n=-N}^{N} \frac{\partial P_n(\alpha)}{\partial\alpha}\mathrm{e}^{i2n\varphi} \qquad (3\text{-}42)$$

$$\mu(\alpha,\beta,H,\varphi) = -\frac{1}{2}\sum_{m=-M}^{M} \mathrm{e}^{i2m\varphi}\left(\frac{\partial^2 P_m(\alpha,\beta,H)}{\partial\alpha\partial\beta}\right) \qquad (3\text{-}43)$$

将求得的 $r(\alpha,\varphi)$ 与 $\mu(\alpha,\beta,H,\varphi)$ 代入式(3-15)即得二维各向异性非线性矢量 Preisach 模型的表达式。

3.4.5 讨论

(1)非线性矢量 Preisach 模型的还原特性。

当输入被限制在一个固定方向变化时,非线性矢量 Preisach 模型可以还原为 Mayergoyz 的非线性标量 Preisach 模型,即

$$M(t) = \iint_{\alpha\geqslant\beta} \mu[\alpha,\beta,H(t)]\hat{r}_{\alpha\beta}H(t)\mathrm{d}\alpha\mathrm{d}\beta + \int_{-\infty}^{\infty} r(\alpha)\hat{\lambda}_\alpha H(t)\mathrm{d}\alpha$$

$$(3\text{-}44)$$

这里分布函数 $\mu[\alpha,\beta,H(t)]$ 和 $r(\alpha)$ 的表达式与标量模型中的表达式完全相同。

(2)非线性矢量 Preisach 模型是 Friedman 通用矢量 Preisach 模型[28]的一种特例。

G. Friedman 认为，能够包含磁化过程完全矢量可逆行为的通用矢量 Preisach 模型应具有以下形式

$$f(t) = \int_{-\pi/2}^{\pi/2} \mathrm{d}\varphi \iint_{\alpha \geqslant \beta} \boldsymbol{v}(\alpha,\beta,\varphi,\boldsymbol{u}) \hat{r}_{\alpha\beta} \mu_\varphi(t) \mathrm{d}\alpha \mathrm{d}\beta + \boldsymbol{R}(\boldsymbol{u})$$

$$(3\text{-}45)$$

上式中右端第二项代表磁滞的完全可逆分量。在该模型中如果选取

$$\boldsymbol{v}(\alpha,\beta,\varphi,\boldsymbol{u}) = \hat{e}_\varphi \mu(\alpha,\beta,\varphi,u) \qquad (3\text{-}46)$$

$$\boldsymbol{R}(\boldsymbol{u}) = \int_{-\pi/2}^{\pi/2} \hat{e}_\varphi \left[\int_{-\infty}^{\infty} r(\alpha,\varphi) \hat{\lambda} \mu_\varphi(t) \mathrm{d}\alpha \right] \mathrm{d}\varphi \qquad (3\text{-}47)$$

则该模型变为本文所提出的非线性矢量 Preisach 模型。

(3)与各向异性媒质中磁场的张量表示的一致性。

在各向异性媒质中，当只考虑媒质垂直各向异性时，磁场的构造关系可以表示为

$$\boldsymbol{M} = \boldsymbol{\chi}\boldsymbol{H} = \begin{bmatrix} \chi_{xx} & 0 \\ 0 & \chi_{yy} \end{bmatrix} \boldsymbol{H} \qquad (3\text{-}48)$$

而非线形矢量 Preisach 模型在处理垂直各向异性时，对应于输入 $\boldsymbol{H}$ 的输出可表示为

$$\boldsymbol{M}(t) = \hat{e}_x \left\{ \iint_{\alpha \geqslant \beta} \mu_x[\alpha,\beta,H(t)] \hat{r}_{\alpha\beta} H_x(t) \mathrm{d}\alpha \mathrm{d}\beta + \int_{-\infty}^{\infty} r_x(\alpha) \hat{\lambda} H_x(t) \mathrm{d}\alpha \right\}$$
$$+ \hat{e}_y \left\{ \iint_{\alpha \geqslant \beta} \mu_y[\alpha,\beta,H(t)] \hat{r}_{\alpha\beta} H_y(t) \mathrm{d}\alpha \mathrm{d}\beta \right\} + \int_{-\infty}^{\infty} r_y(\alpha) \hat{\lambda} H_y(t) \mathrm{d}\alpha$$

$$(3\text{-}49)$$

若取 $\begin{cases} \chi_{xx} H_x = \iint_{\alpha \geqslant \beta} \mu_x[\alpha,\beta,H(t)] \hat{r}_{\alpha\beta} H_x(t) \mathrm{d}\alpha \mathrm{d}\beta + \int_{-\infty}^{\infty} r_x(\alpha) \hat{\lambda} H_x(t) \mathrm{d}\alpha \\ \chi_{yy} H_y = \iint_{\alpha \geqslant \beta} \mu_y[\alpha,\beta,H(t)] \hat{r}_{\alpha\beta} H_y(t) \mathrm{d}\alpha \mathrm{d}\beta + \int_{-\infty}^{\infty} r_y(\alpha) \hat{\lambda} H_y(t) \mathrm{d}\alpha \end{cases}$

$$(3\text{-}50)$$

则非线性矢量 Preisach 模型变成不考虑旋磁问题的张量表示形式。因此，非线性矢量 Preisach 模型是一个未考虑旋磁效应的矢量磁滞模型。

3.5 Preisach 模型的同余特性

Preisach 模型的计算精度取决于它的 Preisach 函数的选择，而无论是由经典 Preisach 模型还是由 Mayergoyz 的非线性模型来确定其分布函数时，都需要在主回线及各个一阶回转曲线甚至各个二阶回转曲线上选择很多的实验拟合点。这虽然在理论上是可以实现的，但实际的测试工作非常繁重。因此，要完全准确地得出分布函数的表达式还是比较困难的。

擦除特性和同余特性构成了 Preisach 模型描述真实滞后现象的充分必要条件。经典 Preisach 模型的同余特性为：在相同的两个回转点之间磁化曲线是同余的。Mayergoyz 的非线性 Preisach 模型的同余特性为：当输入变量在相同的两个回转点间来回变化时，所得的局部回线对应的垂直弦长相等。为了简化实验测试工作，当计算输入沿某一变化历程所产生的输出时，只需选择与该变化历程相应的主回线和一阶、二阶回转曲线进行测试，利用同余特性便可计算出该变化过程对应的输出。

下面来讨论利用经典 Preisach 模型与非线性 Preisach 模型的同余特性相结合来选择主回线及一、二阶微小回线上的实验拟合点，以确定相应输入变化时输出的方法。利用该方法，可以通过选择很少的回转曲线及拟合点，只要同余特性足够准确，便可求出相应于某个过程的输出。

对于图 3-8 所示的输入变化过程 $o—a—b—c$，要确定对应于 c 点的输出，根据 Preisach 模型同余特性的定义，可在主磁滞回线的上升分支选取 a' 点作为一阶回转点，作一阶回转曲线 $a'b'$，再

以 b' 作为二阶回转点,作二阶回转曲线 $b'c'$。a 点的输出 f_a 可由材料的初始磁化曲线确定。ad 段对应的输出变化 $\Delta f_{ad} = f_d - f_a$,根据经典 Preisach 模型的同余特性,可由一阶回转曲线 $a'd'$ 段对应的输出变化来表示。$\Delta f_{ad} = \Delta f_{a'd'} = f_{d'} - f_{a'}$。而 $d—b—c$ 段的输出变化 $\Delta f_{dbc} = f_c - f_d$,根据非线性 Preisach 模型的同余特性,可由 d'、c' 两点的输出变化 $\Delta f_{d'b'c'} = f_{c'} - f_{d'}$ 来表示,因此,c 点的输出可表示为 $f_c = f_a + \Delta f_{a'd'} + \Delta f_{d'b'c'}$。

同样,对于图 3-9 所示的输入变化过程,要确定对应于 c 点的输出。只需在相应的主磁滞回线的下降分支选取 a' 作为一阶回转点,作一阶回转曲线 $a'b'$,再以 b' 作为二阶回转点作二阶回转曲线 $b'c'$。根据经典 Preisach 模型的同余特性,ad 段的输出变化 $\Delta f_{ad} = f_d - f_a$ 可由一阶回转曲线上 $a'd'$ 段的输出变化 $\Delta f_{a'd'}$ 来表示。而 $d—b—c$ 段的输出变化 Δf_{dbc},根据非线性模型同余特性可由 d'、c' 两点的输出变化 $\Delta f_{d'b'c'}$ 来表示,这样,c 点的输出仍可

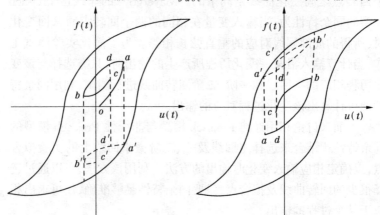

图 3-8　对应于输入变化过程　　图 3-9　对应于输入变化过程
　　　　$o—a—b—c$ 的拟合　　　　　　　　$a—b—c$ 的拟合
　　　　回转曲线的选取　　　　　　　　　　回转曲线的选取

表示为 $f_c = f_a + \Delta f_{a'd'} + \Delta f_{d'b'c'}$。

图 3-10、图 3-11 分别为我们用非线性 Preisach 模型和利用同余特性计算出的 CONiCr 材料的从主回线上升分支的一个回转点 a 出发的对应于输入磁场 H 变化的一阶、二阶回转曲线上的输出值(1 对应于一阶回转曲线,2 对应于二阶回转曲线)。

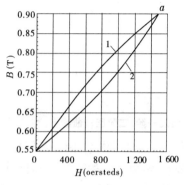

图 3-10　Mayergoyz 的非线性　　图 3-11　利用同余特性计算结果
Preisach 模型计算结果

进行计算时,所采用的实验测定的主回线及一阶、二阶回转曲线如图 3-12 所示。

3.6　小结

Preisach 图、Preisach 分布函数、同余特性及可逆性是影响 Preisach 模型表示实际磁滞过程的准确性的重要因素。利用 Preisach 图可以表示媒质所经历的磁化过程的历史,而 Preisach 分布函数是利用 Preisach 模型进行计算首先要确定的一个量,本章详细讨论了 Preisach 分布函数的确定方法。由于在确定分布函数时,需要在主回线及各个一阶回转曲线甚至各个二阶回转曲线上

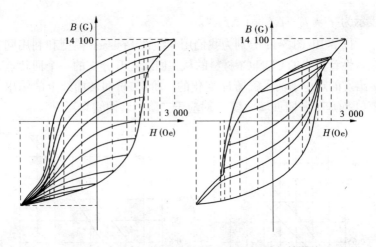

图 3-12　实验测定的主回线及一阶、二阶回转曲线

选择很多的实验拟合点,增大了实际的测试工作量,因此我们提出了一种利用同余特性来确定 Preisach 模型输出的方法,同时讨论了磁滞模型中的可逆磁化分量的确定问题。最后将 Mayergoyz 的矢量 Preisach 模型进行了扩展,将可逆磁化分量引入该模型,提出一个非线性矢量的 Preisach 模型。

第 4 章　考虑媒质磁滞效应时二维静磁场的分析与计算

　　本章阐述了考虑磁滞效应时,静磁场问题的积分方程法与加权余量法;推出了考虑磁滞效应时,有限元的主控方程及其离散形式,并提出了将不动点方法(Fixed point method)与 Preisach 磁滞模型相结合来求解磁滞多值性有限元方程组的方案。最后讨论了磁滞损耗的计算问题,推出了磁滞损耗的计算公式,并给出了静磁问题的计算实例。

4.1　非线性方程组求解的不动点方法

　　不动点算法出现于 20 世纪 60 年代,最初是用于多项式求根的问题,经过几十年的发展,目前非线性规划、非线性方程和方程组的数值解、微分方程边值问题、单参数或多参数分歧点问题、特征值问题乃至对策论、马尔科夫决策理论、经济理论以及纯粹数学某些著名定理的构造性证明方面取得了成功。用不动点算法处理非线性方程组的数值解问题时,与传统的迭代法相比,具有以下特点[14,68]:

　　(1)收敛性与初始值的选择无关,无论初始值如何选择,最终都收敛到问题的解;

　　(2)不动点算法具有线性收敛特性,可使计算过程大大加速;

　　(3)不动点算法精度较高,并且往往可以避免导数运算。

对于处理满足 Lipschiz 连续和单调变化的曲线所表示的非线性问题,都可用不动点算法求解。

目前,比较具有实际应用价值的不动点算法有以下几种:

(1)Merrill 重复开始算法;

(2)三明治算法;

(3)单纯同伦算法。

其中单纯同伦算法由于有单纯形剖分直径自动缩小的特点,在非线性方程与非线性方程组的求解中得到了较好的应用。

4.1.1 单纯同伦算法的基本概念

定义 1 取正数下降序列 $\delta^k \downarrow 0$,设 G 是 $(0,1] \times R^n$ 的一个剖分,满足:

(1)若 $y \in G^0$,则 $y_0 = 2^{-k}, k = 0$ 或 1 或 2…;

(2)对于 $k = 0$、1、2、…,$G_k = \{\sigma \in G^n \mid \sigma \subset R^n(k)\}$ 是 $R^n(k) = \{2^{-k}\} \times R^n$ 的剖分;

(3)若 $\sigma \subset (0, 2^{-k}] \times R^n$,则投影直径 $\mathrm{diam}' \sigma \leqslant \sigma_k, k = 0$、1、2、…。

这时,称 G 为具有自动加密步长的剖分,简称渐细剖分。

定义 2 设 $f^i : X \to Y$ 是连续映射,$i = 0$、1;$H : [0,1] \times X \to Y$ 是从 f^0 到 f^1 的一个同伦(a homotopy),如果 H 连续并且满足 $H(0, x) = f^0(x), x \in X$ 和 $H(1, x) = f^1(x), x \in X$。这时,则说 f^0 和 f^1 是同伦的。

定义 3 对于 $G_d(d \geqslant 0)$ 平面上的一个三角形二维单纯形,如果它的三个顶点的标号都不相同,我们就称它为完全标号三角形,简称全标三角形。

下面我们采用字典式取主转移的方法来进行基底转移的思想:

设 σ 的不属于 τ 的顶点为 $y+$,现在要将其向量标号 $l(y+)$ 引入基底,即确定 $y+$ 将取代的惟一的一个顶点 $y-$,确定 $l(y+)$ 将取代的惟一的一列 $l(y-)$。

设 $\tau = < y^0, \cdots, y^{n-1} >$,则

$$B = \left(L_\tau, \begin{pmatrix} 1 \\ d \end{pmatrix} \right) \qquad (4\text{-}1)$$

其逆矩阵为

$$B^{-1} = \begin{bmatrix} b_0^{\mathrm{T}} \\ \vdots \\ b_n^{\mathrm{T}} \end{bmatrix} \qquad (4\text{-}2)$$

这里,b_i 是 $n+1$ 维(列)向量,$i = 0、1、\cdots、n$。计算

$$B^{-1}l(y+) = (t^0, \cdots, t^n)^{\mathrm{T}} \qquad (4\text{-}3)$$

用 $B^{-1}l(y+)$ 中的正元素 (t_j) 除 B^{-1} 中相应的行向量 (b_j^{T}),设在所得的相应于正的 t_j 的各行向量 b_j^{T}/t_j 中,"字典式最小的"是 b_i^{T}/t_i,即设

$$b_i^{\mathrm{T}}/t_i = \min\{b_j^{\mathrm{T}}/t_j : t_j > 0\} \qquad (4\text{-}4)$$

就用 $l(y+)$ 代替 $l(y-)$,这里 $y-$ 即 y^i,也就是说,$y+$ 取代 $y-$,$y+$ 成为新的 y^i。

定理 设 $H : [0,1] \times R^n \to D$ 是连续映射,D 是 R^n 的紧致凸子集,那么在 $[0,1] \times R^n$ 中存在一个连通闭集 P,P 与 $\{0\} \times R^n$ 和 $\{1\} \times R^n$ 都相交,并且对所有 $(t,x) \in P$,$H(t,x) = x$ 成立。如果 $H(t,x) = x$,我们称 $(t,x) \in [0,1] \times R^n$ 为 $H : [0,1] \times R^n \to R^n$ 的不动点。

4.1.2 非线性方程组求解的不动点算法

这里采用不动点方法中的单纯同伦算法(也叫分片线性同伦算法)来求解非线性方程组。

同伦算法的基本思想是:为了求一个映射的不动点,先把该映射同伦形变为一个其惟一不动点很清楚的平凡映射,然后从平凡映射的不动点出发,沿着同伦的不动点集走,回到原来的映射,如果这个过程有终点,终点就是所求的原来映射的不动点,否则,沿着同伦的不动点集走,将越来越接近原来映射的一个不动点。

在进行非线性方程组的求解时,对于非线性方程组 $P(x)=0$ 所对应的映射 $P(x):R^n \to R^n$;我们要寻找一个同伦

$$H:R^n \times [0,1] \to R^n \tag{4-5}$$

使其能从平凡的零点很明显的人为多项式 $H \mid R^n \times \{1\} = Q:R^n \to R^n$ 过渡到原来的多项式 $H \mid R^n \times \{1\} = P:R^n \to R^n$。

对 $R^n \times (0,1]$ 的一个渐细单纯剖分 G(见图 4-1),引入单纯形 σ 的标号矩阵为

$$L_\delta = (l(y^{-1}), \cdots, (y^k)) \tag{4-6}$$

其中向量标号 l 为

$$l(t,x) = \begin{pmatrix} 1 \\ H(t,x) - x \end{pmatrix} \tag{4-7}$$

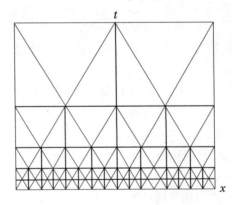

图 4-1 $R^n \times (0,1]$ 的一个渐细单纯剖分 G

计算步骤为:

第一,输入初始值 c,误差限 ε,设 τ_0 为 G_0 的包含 $(1,c)$ 的 n 维单纯形,σ_0 是 G 的以 τ_0 为一界面的 $n+1$ 维单纯形。记 y^+ 是 σ_1 的不属于 τ_0 的顶点,令 $B = L\tau_0$,置 $m = 1$。

第二,计算 y^+ 的向量标号 $l(y^+)$,并按字典式取主转移的方法进行基底转移。确定 y^+ 将取代的惟一的一个顶点为 y^-,用

$l(y^+)$ 置换列 $l(y^-)$，并将 $l(y^+)$ 引入矩阵 B，这里 y^- 是 σ_m 的一个顶点。

第三，设 τ_m 是 σ_m 与 y^- 相对的完备单纯形界面，试算 H 在 τ_m 的不动点，若达到精度要求则停止，记 H 的这个近似不动点为 $y^* = (t^*, x^*)$，则 x^* 就是所求的 f 的近似不动点。否则，设 σ_{m+1} 是 G 的与 σ_m 共有界面 τ_m 的惟一单纯形，而 y^+ 为新顶点，那么置 $m = m + 1$，回到第二步。

4.2 考虑媒质磁滞效应时二维静磁场的分析方法

4.2.1 磁场的积分方程法

磁场的积分方程法是 C. W. Trowbridge 提出的，它主要是为了解决当时有限差分法和有限元法在处理开域计算问题时以及连续场的数值计算问题的一些限制。积分方程法是从宏观的角度来描述场，场区内每点的值仅取决于所有场源对它的影响，场点与源点的联系是通过毕奥－萨伐尔定理实现。由于离散只在源区进行，加上恒定磁场问题的电流分布和大小是已知的，因此离散只需在非线性铁区进行，这使得数据输入和网格剖分大为简化。在线性问题和开域问题的数值计算中，积分方程法具有极高的精度和明显的优点。

但是，当时的积分方程法在求解非线性问题时，由于确定物质磁化状态的离散方程的系数矩阵是非线性满秩的，加上每一剖分单元重心上的场参数是用向量来描述的，在三维场中每一单元重心上形成 3 个未知数，因此需要相当大的内存来存储系数阵的元素。此外，耦合系数是由二重或三重积分通过数学变换化简而来，带有超越函数，轴对称场更含有椭圆积分函数。因此，系数形成要消耗大量的 CPU 时间。为此，J. Simikin 等发展了边界积分法。边界积分的离散只涉及到铁区边界，从而使未知数大为减少，系数阵形成中又吸收了有限元的插值方法,减少了 CPU 时间。

为了解决非线性问题,1978 年,C. W. Trowbridge 和 J. Simikin 等提出了双标量位法,它用两种标量位来描述恒定磁场。在电源区采用简化标量位,在无电流区采用全标量位。交界面上过多的未知数,可通过交界面条件予以消去,这种方法亦称为积分-微分方法。

4.2.2 考虑媒质磁滞效应时二维静磁场计算的积分方程法[45]

当磁的构成关系为单值函数时,可用下面的积分方程法来求解二维静磁问题:

$$\vec{H}_k(q) = \vec{H}_k^a(q) + \frac{1}{2\pi} \nabla_q \int_{S+} \vec{M}_k(p) \cdot \nabla_p \ln r_{pq} \mathrm{d}S_p \quad (4\text{-}8)$$

式中:q 为观察点;p 为积分点,S^+ 为磁性媒质所占据的区域;$\vec{H}_k$、$\vec{H}_k^a$ 和 $\vec{M}_k$ 分别为总的场强、外加场场强和磁化强度;下标 k 为在时刻 t_k 时的值。

式(4-8)可以用下面的迭代方法求解

$$\vec{H}_k^{i+1}(q) = \vec{H}_k^i(q) + \tau[\vec{H}_k^a(q)$$
$$+ \frac{1}{2\pi} \nabla_q \int_{S+} \vec{M}_k^i(p) \cdot \nabla_p \ln r_{pq} \mathrm{d}S_p - \vec{H}_k^i(q)]$$
$$(4\text{-}9)$$

式(4-9)中上角标 i 和 $i+1$ 表示成功迭代的次数,松弛因子 τ 的选择应确保迭代快速收敛,τ 可以选为

$$0 \leqslant \tau \leqslant \frac{2}{x_{\max} + 1} \quad (4\text{-}10)$$

与一系列时间步长 $\{t_k\}$ 相对应的一系列积分方程可用来近似磁滞媒质中静磁情况下的求解问题,对每一个时间步长,可以利用先前的时间步长所计算出来的磁场值和矢量 Preisach 模型来确保 $\vec{M}_k$ 及 $\vec{H}_k$ 之间的单值关系。

在我们的数字求解方法中,可以将区域 S^+ 离散成一系列的小区域 R_n,每个区域内的磁化强度可认为是一个常数,则式(4-9)右边的积分项可以近似为

$$\nabla_q \int_{S+} \vec{M}_k^i(p) \cdot \nabla_p \ln r_{pq} \mathrm{d}S_p \approx \sum_{n=1}^{N} \nabla_q \int_{R_n} \vec{M}_{k,n}^i \cdot \nabla_p \ln r_{pq} \mathrm{d}S_p$$

(4-11)

式(4-11)中 N 是总的矩形网格单元数,这样式(4-9)可以变为

$$\vec{H}_{k,n}^{i+1} = \vec{H}_{k,n}^i + \tau \left[\vec{H}_{k,n}^a + \frac{1}{2\pi} \sum_{n=1}^{N} \nabla_q \int_{R_n} \vec{M}_{k,n}^i \cdot \nabla_p \ln r_{pq} \mathrm{d}S_p - \vec{H}_{k,n}^i \right]$$

(4-12)

式中:$H_{k,n}^a$ 为在每个区域 R_n 中心的外加场值。

在积分方程法的数值求解中,常需要构造一个每个区域 R_n 中心的磁化强度 $\vec{M}_{k,n}^i$ 与该点的磁场强度的单值函数,这可由矢量 Preisach 模型的时间局部行为推出。

现假定 $\vec{H}_k$ 表示在时刻 t_k 时的磁场,$\vec{H}_{k-1}$ 表示在时刻 t_{k-1} 时的磁场,则在时刻 t_k 与 t_{k-1} 之间的任意时刻的磁场应在 $\vec{H}_k$ 与 $\vec{H}_{k-1}$ 的连线上,如图 4-2 所示。

设有一个方向 $\hat{e}_\theta$ 垂直于磁场 $\vec{H}_k - \vec{H}_{k-1}$,因此对所有的 $\theta \leqslant \phi \leqslant \frac{\pi}{2}$,磁场 $\vec{H}_k$ 使得 $\vec{H}_k \cdot \hat{e}_\varphi$ 相对于

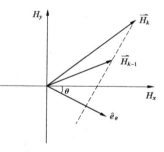

图 4-2 磁场的时间局部增量

$\vec{H}_{k-1} \cdot \hat{e}_\varphi$ 增加,对所有的 $-\frac{\pi}{2} \leqslant \phi \leqslant \theta$,磁场 $\vec{H}_k$ 使得 $\vec{H}_k \cdot \hat{e}_\varphi$ 相对于 $\vec{H}_{k-1} \cdot \hat{e}_\varphi$ 减小,与上述两种情况相应的 Preisach 图如图 4-3 所示。

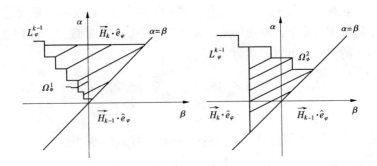

(a)磁场分量的时间局部增加　　　　(b)磁场分量的时间局部减少

图 4-3　两种情况对应的 Preisach 图

在这两种情况下,与磁场增量 $\vec{H}_k - \vec{H}_{k-1}$ 相应的标量模型 $\hat{\Gamma}_\phi$ 的输出增量分别为

$$\Delta_1 f_\phi^k = 2\iint_{\Omega_\phi^1(\vec{H}_k \cdot \hat{e}_\phi)} \gamma(\alpha,\beta)\mathrm{d}\alpha\mathrm{d}\beta \tag{4-13}$$

$$\Delta_2 f_\phi^k = -2\iint_{\Omega_\phi^2(\vec{H}_k \cdot \hat{e}_\phi)} \gamma(\alpha,\beta)\mathrm{d}\alpha\mathrm{d}\beta \tag{4-14}$$

因此,时间局部(time-local)矢量 Preisach 模型的输出关系为

$$\vec{M}_k = \vec{M}_{k-1} + 2\int_0^{\pi/2} \hat{e}_\phi \left[\iint_{\Omega_\phi^1(\vec{H}_k \cdot \hat{e}_\phi)} \gamma(\alpha,\beta)\mathrm{d}\alpha\mathrm{d}\beta\right]\mathrm{d}\phi$$

$$- 2\int_{-\pi/2}^0 \hat{e}_\phi \left[\iint_{\Omega_\phi^2(\vec{H}_k \cdot \hat{e}_\phi)} \gamma(\alpha,\beta)\mathrm{d}\alpha\mathrm{d}\beta\right]\mathrm{d}\phi \tag{4-15}$$

式中:下标 k 和 $k-1$ 为在时刻 t_k 和 t_{k-1} 时的量。

式(4-15)构造了一个磁化强度 $\vec{M}_k$ 和磁场 $\vec{H}_k$ 之间的单值函数。

4.3 伽辽金有限单元法

4.3.1 磁滞媒质的磁场方程及其有限元离散格式[85,101,102,108]

对于铁磁媒质,有下面的磁场构造关系

$$\vec{B} = \mu_0(\vec{H} + \vec{M}) \qquad (4\text{-}16)$$

对于用矢量磁位表示的稳定问题,可得[49]

$$\nabla \times (\nabla \times \vec{A}) = \mu_0(\vec{J} + \nabla \times \vec{M}) \qquad (4\text{-}17)$$

在直角坐标系中,对于二维情况,由于 $\vec{A}$、$\vec{J}$ 都只有 Z 方向的分量,式(4-17)可表示为

$$\frac{\partial^2 A}{\partial x^2} + \frac{\partial^2 A}{\partial y^2} + \mu_0\left(\frac{\partial My}{\partial x} - \frac{\partial Mx}{\partial y}\right) + \mu_0 J = 0 \qquad (4\text{-}18)$$

采用伽辽金有限元法,将场域进行剖分,则有

$$G_i = \iint N_i\left[\frac{\partial^2 A}{\partial x^2} + \frac{\partial^2 A}{\partial y^2} + \mu_0\left(\frac{\partial My}{\partial x} - \frac{\partial Mx}{\partial y}\right) + \mu_0 J\right]\mathrm{d}x\mathrm{d}y = 0 \qquad (4\text{-}19)$$

式中: N_i 为各单元的形状函数。

将式(4-19)的积分进行离散化后[103,60,105],得

$$G_i = \sum_{e=1}^{N_{ei}}\left[\sum_{k_e=1}^{3} S_{ike}A_{ke} - \frac{1}{2}\mu_0(M_x^e d_{ie} - M_y^e C_{ie}) - \frac{1}{3}\mu_0 J^e \Delta^e\right] = 0 \qquad (4\text{-}20)$$

式中: N_{ei} 为单元数; Δ^e 为单元面积。

由于采用 delaunay 三角化的网格自动剖分技术得到了比较成熟的发展[86~94,97],我们采用三角形剖分时,即

$$S_{ike} = \frac{1}{4\Delta^e}\left[c_{ie}c_{je} + d_{ie}d_{je}\right] \qquad (4\text{-}21)$$

$$\begin{cases} c_{ie} = y_{je} - y_{ke} \\ d_{ie} = x_{ke} - x_{je} \end{cases} \tag{4-22}$$

式中：ie、je、ke 为 1、2、3 的循环下角标。

式(4-20)为一联立方程组，它可以表示为

$$[K]\{A\} + \{M(A)\} = \{F\} \tag{4-23}$$

式(4-23)中的 $[K]$ 和 $\{F\}$ 项与不考虑磁滞时相同，$\{M(A)\}$ 为考虑磁滞时引起的磁化强度项，它是 A 的一个多值函数，可借助磁滞模型进行计算。

4.3.2 二维矢量 Preisach 模型的数值实现

二维矢量 Preisach 模型的数学表示为

$$\vec{M}(t) = \int_{-\pi/2}^{\pi/2} \hat{e}_\varphi \left(\iint_{\alpha \geqslant \beta} \mu(\alpha, \beta, \varphi) \hat{r}_{\alpha\beta} H_\varphi(t) \mathrm{d}\alpha \mathrm{d}\beta \right) \mathrm{d}\varphi$$

$$\tag{4-24}$$

式中：$\hat{e}_\varphi$ 为沿极角 φ 指定方向的单位矢量；$\hat{r}_{\alpha\beta}$ 为 α、β 作为上、下开关场值的矩形回线所表示的单元磁滞算子；$\mu(\alpha, \beta, \varphi)$ 为分布密数；$H_\varphi(t)$ 为场强 $H(t)$ 沿方向 $\hat{e}_\varphi$ 的投影。

对于各向同性媒质，由于 μ 与 φ 无关，上式可简化为

$$\vec{M}(t) = \int_{-\pi/2}^{\pi/2} \hat{e}_\varphi \left(\iint_{\alpha \geqslant \beta} \mu(\alpha, \beta) H_\varphi(t) \mathrm{d}\alpha \mathrm{d}\beta \right) \mathrm{d}\varphi \tag{4-25}$$

现在，我们来讨论函数 $\mu(\alpha, \beta)$ 的确定，引入函数 $P(\alpha, \beta)$

$$P(\alpha, \beta) = \iint_{\alpha \geqslant \beta} \mu(\alpha, \beta) \hat{r}_{\alpha\beta} H_\varphi(t) \mathrm{d}\alpha \mathrm{d}\beta \tag{4-26}$$

则

$$\mu(\alpha, \beta) = -\frac{\partial^2 P(\alpha, \beta)}{\partial \alpha \partial \beta} \tag{4-27}$$

因此，只要函数 $P(\alpha, \beta)$ 确定且二阶导数存在，那么 $\mu(\alpha, \beta)$ 就可以完全确定。现在，我们讨论 $P(\alpha, \beta)$ 的确定方法。

限定输入 $\vec{H}(t)$ 沿 $\varphi = 0$ 方向变化，$H(t)$ 从负饱和状态经历一个单调增加过程直到达到某个值 α，此时对应的输出为 M_α，然

后 $H(t)$ 从 α 开始再经历一个单调减小过程直到达到某个值 β，设此时相应的输出为 $M_{\alpha\beta}$，取函数

$$F(\alpha,\beta) = \frac{1}{2}(M_\alpha - M_{\alpha\beta}) \tag{4-28}$$

则函数 $P(\alpha,\beta)$ 和函数 $F(\alpha,\beta)$ 之间应有以下关系

$$\int_{-\pi/2}^{\pi/2} \cos\varphi P(\alpha\cos\varphi,\beta\cos\varphi)\mathrm{d}\varphi = F(\alpha,\beta) \tag{4-29}$$

由式(4-29)即可确定 $P(\alpha,\beta)$。

在数值计算中，我们常采用矢量 Preisach 模型的离散形式[82]

$$\vec{M}(t) = \int_{-\pi/2}^{\pi/2} \hat{e}_\varphi \Big[-P(\alpha_0,\beta_0)$$

$$+ 2\sum_{k=1}^{n}(P(\alpha_k,\beta_{k-1}) - P(\alpha_k,\beta_k))\Big]\mathrm{d}\varphi \tag{4-30}$$

式中：n 为水平链数。

$\vec{H}(t)$ 沿 x、y 轴方向上的分量为

$$\begin{cases} M_x(t) = \int_{-\pi/2}^{\pi/2} \cos\varphi \Big[-P(\alpha_0,\beta_0) + 2\sum_{k=1}^{n}(P(\alpha_k,\beta_{k-1}) - P(\alpha_k,\beta_k))\Big]\mathrm{d}\varphi \\ M_y(t) = \int_{-\pi/2}^{\pi/2} \sin\varphi \Big[-P(\alpha_0,\beta_0) + 2\sum_{k=1}^{n}(P(\alpha_k,\beta_{k-1}) - P(\alpha_k,\beta_k))\Big]\mathrm{d}\varphi \end{cases}$$

$$\tag{4-31}$$

式中：α_k、β_k 分别为磁滞回线的上升与下降系列中储存在 $H_\varphi(t)$ 的局部最大值和最小值。

采用 Preisach 模型的数值实现与传统的插值法相比具有以下优点：

(1)由于 Preisach 模型中的分布函数的确定是利用实验测定的主回线及一阶、二阶回转曲线上的数据而采用多元插值的方法来进行的，因此在计算回转曲线上的数据时，只要所计算的回转曲线的阶数不大于所选取的插值函数的阶数，利用 Preisach 模型的计算结果与传统的插值法应有几乎相同的精确度。

（2）利用 Preisach 模型可以由实验确定的分布函数来预计任意的高阶回线,而传统的插值法只能确定到插值函数的最大阶的回转曲线。

（3）在预计高阶回转曲线时,利用传统的插值方法进行时由于实验工作量太大,过程过于复杂,在实现上几乎是不可能的。而采用 Preisach 模型时,只需要测定到二阶回转曲线上的数据,便可实现对高阶回转曲线的预计,且预计结果能与实验测定值得到很好的吻合[10,11]。

4.4 磁场有限元方程的求解方法

由于考虑媒质磁滞效应时,磁场有限元方程中的项 $\{M(A)\}$ 是一个多值函数,这就加大了求解该方程组的难度。传统的非线性方程组的求解方法(牛顿－拉普森迭代法与共轭梯度法[98~100])只能求解单值性有限元方程,且其收敛行为与初始值的选择有关,对于处于磁化特性曲线饱和区域的磁场非线性问题,由于零磁化率的存在,用传统方法求解时存在着一定的困难,而采用不动点方法来进行求解时不存在这些限制。因此,我们提出了利用 Preisach 模型和不动点方法相结合,通过先确定出对应于各个回转点的值,最后确定出对应于某一变化过程的考虑磁滞问题的有限元方程的解。

4.4.1 用不动点方法求解磁场的非线性问题

由于表示磁场的非线性问题的磁化曲线满足 Lipschitz 连续和单调变化的条件,我们可用不动点方法来处理磁场的非线性问题。

不动点方法的基础是把一个非线性曲线 $H = \xi(B)$ 分成线性项与非线性驻留项两部分,即

$$\xi(B) = \gamma B + R \tag{4-32}$$

式中:γ 为一个常数;驻留项 R 通过迭代过程来赋值(而 γ 在迭代过程中始终保持不变),它对于任一起始值都是收敛的。

式(4-32)中 γ 值必须在 ξ 曲线的最大和最小斜率的平均值周围的间隔内选取。常取

$$\gamma = \frac{\gamma_{max} + \gamma_{min}}{2} \tag{4-33}$$

通过上述分解,磁场的主控方程

$$\nabla \times \xi(\nabla \times A) = J \tag{4-34}$$

则变为

$$\nabla \times \gamma \nabla \times A_n = J - \nabla \times R_{n-1} \tag{4-35}$$

式(4-35)中 n 为迭代次数,驻留项 R_{n-1} 由下式确定

$$R_{n-1} = \xi(B_{n-1}) - \gamma B_{n-1} \tag{4-36}$$

不动点方法不同于 Newton-Rapson 方法,由于在计算过程中刚度矩阵从未改变,因而使计算过程大大加速。不动点方法具有线性收敛特性。

一些学者[102,122] 曾尝试将不动点方法与 Preisach 磁滞模型联合用于多值性问题的求解,并提出了一些求解方案,这些方案的基本思想是通过离散地施加源项而得到最终的磁化状态。对于每一个离散步,H 由它的初始值和终止值来确定,每一个离散步都要通过相应地修正 Preisach 图构成来确定 $H = \xi(B)$。因此,在处理变化过程复杂的静态磁滞问题时,不动点方法虽然原则上可以求解,但仍是非常缓慢的。

4.4.2 磁滞多值性有限元方程组的不动点求解方法

在磁滞多值性有限元方程求解时,我们将多值性磁滞回线分解为一系列单值非线性磁滞回线,然后利用求解非线性方程组的方法来求解;同时,由于磁滞有限元方程中 $\{M(A)\}$ 项未定,因此必须先确定出 $\{M(A)\}$ 项之后,才能再行求解。

对于考虑媒质磁滞效应时的磁场有限元方程

$$[K]\{A\} + \{M(A)\} = \{F\}$$

可采用如下的不动点迭代格式来进行求解

$$[K]\{A_n\} = \{F\} - \{M(A_{n-1})\} \tag{4-37}$$

而

$$\{M(A_{n-1})\} = \frac{1}{\mu_0}B(A_{n-1}) - H(A_{n-1}) \tag{4-38}$$

在求解过程中,先求出对应于外加场(源)变化过程的磁滞回线上的各个回转点值,然后再利用这些回转点处的值及 Preisach 模型来求解在外加场(源)经历某一变化过程后的磁场。

用不动点方法进行求解的步骤如下:

(1)取起始点与第一个回转点之间的那段考虑($n=1$)。

(2)求解基本方程:①给出 $\vec{M}$ 一个初始值($M_x = M_y = 0$),求解方程组 $[K][A] = [F]$,得矢势 $[A]^{(0)}$;②确定磁矢势为 $[A]^{(0)}$ 时的 $\{M(A)\}$ 项,这可通过迭代求解方程 $\vec{B} = \mu_0(\vec{H} + \vec{M})$ 而得到,而 $M(\vec{H})$ 由 Preisach 模型求出;③将 $\{M(A)\}$ 项代入主控方程 $[K][A] + \{M(A)\} = [F]$,求解该方程得 $[A]^{(1)}$,利用②中方法,求取 $[A]^{[1]}$ 时的 $\{M(A)\}$ 项,这样依次求解,直到 A 收敛为止;④由求得的 A 值确定对应的回转点 $\vec{H}$ 值。

(3)依次取第 2、第 3、…、第 n 个回转点,重复步骤(2)。

流程框图如图 4-4 所示,流程框图中的矢量迭代格式应在 x、y 方向上进行分解,在每个方向上分别进行迭代。

4.4.3 确保 $\vec{B} = \mu_0(\vec{H} + \vec{M})$ 满足的方法

在用不动点方法进行数值求解时,对应于每一个迭代步,都需要由磁场构造关系 $\vec{B} = \mu_0(\vec{H} + \vec{M})$ 来确定 $M(A_{n-1})$,这实际上相当于求一个非线性分叉方程的奇点问题,为此可以采用二分法和迭代法进行搜索的方式来确定。

采用二分法和迭代法来进行搜索以确定 $M(A)$ 的方法如下:

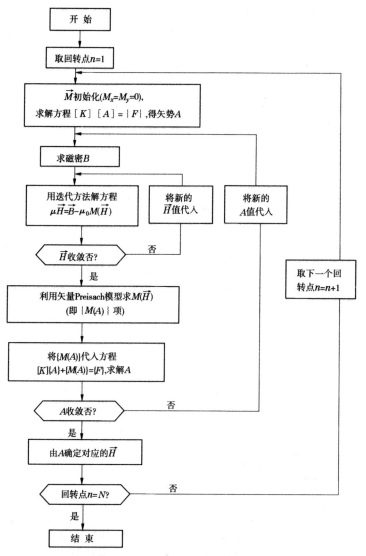

图 4-4 有限元方程求解的流程图

首先,由 A 确定出 $\vec{B}$,根据关系式

$$\vec{B} = \mu_0(\vec{H} + \vec{M}) \tag{4-39}$$

将 $\vec{H}$、$\vec{M}$、$\vec{B}$ 分别沿 x、y 方向进行分解,则对应于每个单元,有

$$B_i = \mu_0(H_i + M_i) \quad (i \text{ 代表 } x, y) \tag{4-40}$$

应用下式

$$\begin{cases} \text{若 } \mu_0(H_i^{(k)} + M_i^{(k)}) > B_i, \text{则 } H_i^{(k+1)} = H_i^{(k)} - \Delta H \\ \text{若 } \mu_0(H_i^{(k)} + M_i^{(k)}) < B_i, \text{则 } H_i^{(k+1)} = H_i^{(k)} + \Delta H \end{cases} \tag{4-41}$$

式中:ΔH 为 Preisach 平面上使用的离散化步距;$M_i^{(k)}$ 由 Preisach 模型的离散化形式求出。

若寻找到两个磁场值 $H_i^{(n)}$、$H_i^{(n+1)}$,结果满足

$$\mu_0(H_i^{(n)} + M_i^{(n)}) < B_i \text{ 且 } \mu_0(H_i^{(n+1)} + M_i^{(n+1)}) > B_i \tag{4-42}$$

则将 $H_i^{(n)}$ 和 $H_i^{(n+1)}$ 定义的间隔二等分,用同样的方法进行迭代,直到满足会聚要求的误差为止。然后利用会聚时的 H_i 值与 Preisach 模型的离散形式,即可确定出相应的 $M(A)$。

4.5 计算示例

我们选用的是各向同性的 CoNiCr 合金材料,实验测定的该种材料在 $\varphi = 0$ 方向的磁滞回线如图 4-5 所示。

在该合金材料制作的 U 形和山形铁芯及 C 形铁芯上分别绕以绕组,绕组中通以直流电,设绕组线圈中的电流经过一个变化历程——电流从 0 开始逐渐增加到某个值(此时绕组电流密度 $J = 30\text{A}/\text{cm}^2$)后再逐渐减小到原来的 $\frac{1}{2}$($J_1 = 15\text{A}/\text{cm}^2$)。设该变化历程的每一阶段所经历的时间都非常长,这样就可以将各个过程都看做静态来考虑,计算所得的考虑磁滞时的铁芯内或空间磁力线分布如图 4-6～图 4-11 所示。

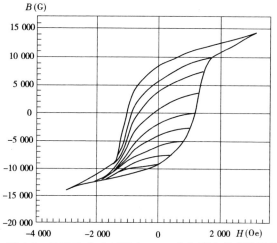

图 4-5　CoNiCr 合金材料在 $\varphi = 0$ 方向测定的磁滞回线

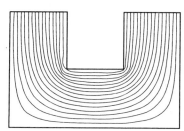

图 4-6　对应电密 J 的 U 形
铁芯磁力线分布

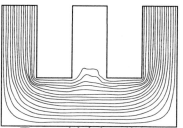

图 4-7　对应电密 J_1 的山形
铁芯磁力线分布

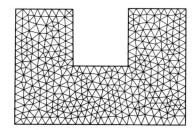

图 4-8　与图 4-6 相应的网格剖分

图 4-9　与图 4-7 相应的网格剖分

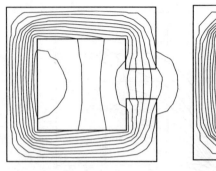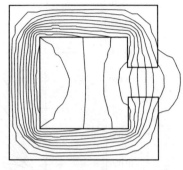

(a)对应于电密J的磁力线分布　　　　　(b)对应于电密J_1不考虑磁滞时的磁力线分布

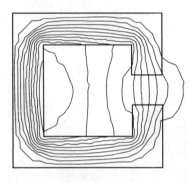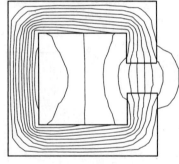

(c)对应于电密J_1考虑磁滞时的磁力线分布　　　(d)电密由J_1继续减小到零时的剩磁场分布

图 4-10　对应于不同时刻的磁力线分布

4.6　磁滞损耗的计算

4.6.1　由经典 Preisach 模型来推导磁滞损耗的表达式

　　磁滞算子可以用图 4-12 的矩形回线来表示。如果一个周期性变化的输入沿该回线发生时,一个周期内的磁滞损耗等于回线面积 $2(\alpha - \beta)$。由于只有上、下开关场引起磁滞损耗,并且两者引

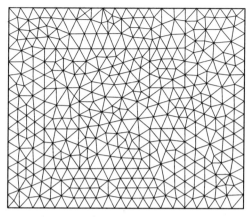

图 4-11　与图 4-10 相应的网格剖分

起的损耗相等(由于对称性),因此每个开关场引起的损耗为 $(\alpha-\beta)$。当输入为 $\mu(\alpha,\beta)\hat{r}_{\alpha\beta}$ 时,沿该回线的单个开关场所引起的能量损耗为 $\mu(\alpha,\beta)(\alpha-\beta)$。因此,任意输入变化时引起的能量损耗应为输入沿回线的开关场所引起的损耗的累加。设 Ω 表示输入变化过程中,相应的矩形回线的开关点 (α,β) 所在的区域,则相应输入变化的磁滞损耗 Q 为[55]

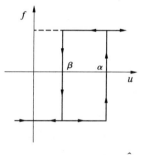

图 4-12　单元磁滞算子 $\hat{\gamma}_{\alpha\beta}$

$$Q = \iint_{\Omega}\mu(\alpha,\beta)(\alpha-\beta)\mathrm{d}\alpha\mathrm{d}\beta \tag{4-43}$$

区域 Ω 的形状如图 4-13 所示,它可以分成一系列的三角形,对于一个三角形,上式的积分可以用 $F(\alpha,\beta)$ 来表示

$$F(\alpha,\beta) = f_{\alpha} - f_{\alpha\beta} \tag{4-44}$$

又因

$$\mu(\alpha,\beta) = -\frac{1}{2}\frac{\partial^2 F(\alpha,\beta)}{\partial\alpha\partial\beta} \tag{4-45}$$

因此

$$2\mu(\alpha,\beta)(\alpha,\beta) = -\frac{\partial^2}{\partial\alpha\partial\beta}[F(\alpha,\beta)(\alpha-\beta)]$$
$$+\frac{\partial F(\alpha,\beta)}{\partial\beta}-\frac{\partial F(\alpha,\beta)}{\partial\alpha} \tag{4-46}$$

现假定输入从 u_- 上升到 u_+ 时所对应的三角形如图 4-14 所示 ($T(u_+,u_-)$)，则相应的损耗为

$$Q(u_-,u_+) = \iint\limits_{T(u_+,u_-)}\mu(\alpha,\beta)(\alpha-\beta)\mathrm{d}\alpha\mathrm{d}\beta$$
$$= \int_{u_-}^{u_+}\left(\int_{u_-}^{\alpha}\mu(\alpha,\beta)(\alpha-\beta)\mathrm{d}\beta\right)\mathrm{d}\alpha$$
$$= \int_{u_-}^{u_+}\left(\int_{\beta}^{u_+}\mu(\alpha,\beta)(\alpha-\beta)\mathrm{d}\alpha\right)\mathrm{d}\beta \tag{4-47}$$

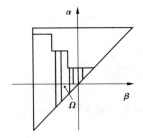
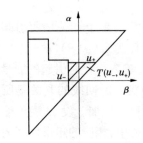

图 4-13　区域 Ω 的形状　　图 4-14　$\alpha-\beta$ 平面上三角形 $T(u_-,u_+)$

将式(4-46)值代入式(4-47)后,进行积分和简单变换可得

$$Q(u_-,u_+) = -\frac{1}{2}\left(\int_{u_-}^{u_+}F(\alpha,u_-)\mathrm{d}\alpha\right.$$
$$\left.+\int_{u_-}^{u_+}F(u_+,\beta)\mathrm{d}\beta-(u_+-u_-)F(u_+,u_-)\right)$$
$$\tag{4-48}$$

从式(4-48)可以证明,对于一个周期的输入变化,磁滞损耗等于周期输入变化所对应的回线所包围的面积 A。

由于输入由 u_- 到 u_+ 的变化和输入由 u_+ 到 u_- 的变化所对应 Preisach 平面上的三角形相同,所以

$$Q(u_-, u_+) = Q(u_-, u_+) = \frac{1}{2}A$$

$$= \frac{1}{2}\overline{Q}(u_-, u_+) \qquad (4\text{-}49)$$

式中: $\overline{Q}(u_-, u_+)$ 为输入在 (u_-, u_+) 之间变化一个周期时的磁滞损耗。

4.6.2 由 Mayergoyz 的非线性 Preisach 模型推导磁滞损耗表达式

当输入 $u(t)$ 在 $\beta \leqslant u(t) \leqslant \alpha$ 之间作单调变化时,分布在 (β, α) 之间的算子对磁滞损耗的贡献为

$$Q = \int_\beta^\alpha \mu(\alpha, \beta, u(t))\mathrm{d}u \qquad (4\text{-}50)$$

现假设 $u(t)$ 从 u_- 单调增加到 u_+,则对应的磁滞损耗为[54]

$$Q(u_-, u_+) = \iint_{T(u_+, u_-)} \left[\int_\beta^\alpha \mu(\alpha, \beta, u(t))\mathrm{d}u \right] \mathrm{d}\alpha\mathrm{d}\beta$$

$$= \int_{u_-}^{u_+} \left[\int_{u_-}^\alpha \left[\int_\beta^\alpha \mu(\alpha, \beta, u(t))\mathrm{d}u \right] \mathrm{d}\beta \right] \mathrm{d}\alpha \qquad (4\text{-}51)$$

通过积分次序的变换,将上式内部两重积分变为

$$\int_{u_-}^\alpha \left[\int_\beta^\alpha \mu(\alpha, \beta, u(t))\mathrm{d}u \right] \mathrm{d}\beta = \int_{u_-}^\alpha \left[\int_{u_-}^u \mu(\alpha, \beta, u(t))\mathrm{d}\beta \right] \mathrm{d}u$$

$$(4\text{-}52)$$

由于 $\mu(\alpha, \beta, u(t)) = \frac{1}{2}\dfrac{\partial^2 P(\alpha, \beta, u(t))}{\partial\alpha\partial\beta}$,所以有

$$\left[\int_{u_-}^\alpha \int_\beta^\alpha \mu(\alpha, \beta, u(t))\mathrm{d}u \right]\mathrm{d}\beta = -\frac{1}{2}\int_{u_-}^\alpha \left[\int_\beta^\alpha \dfrac{\partial^2 P(\alpha, \beta, u(t))}{\partial\alpha\partial\beta}\mathrm{d}\beta \right]\mathrm{d}\alpha$$

$$= -\frac{1}{2}\int_{u_-}^{a}\left[\frac{\partial P(\alpha,u(t),u(t))}{\partial\alpha}-\frac{\partial P(\alpha,u_-,u(t))}{\partial\alpha}\right]\mathrm{d}u$$

$$(4\text{-}53)$$

进一步改变积分次序,整理后得

$$Q(u_-,u_+) = -\frac{1}{2}\int_{u_-}^{u_+}\left[\int_u^{u_+}\left[\frac{\partial P(\alpha,u(t),u(t))}{\partial\alpha}-\frac{\partial P(\alpha,u_-,u(t))}{\partial\alpha}\right]\mathrm{d}\alpha\right]\mathrm{d}u$$

$$= \frac{1}{2}\int_{u_-}^{u_+}P(u_+,u_-,u(t))\mathrm{d}u \qquad (4\text{-}54)$$

当输入由 u_1 变化到 u_2 时对应的磁滞损耗 $Q(u_1,u_2)$ 可表示为

$$Q(u_1,u_2) = \frac{1}{2}\left[\vec{Q}(u_-,u_2)-\vec{Q}(u_-,u_1)\right] \qquad (4\text{-}55)$$

式中: $\vec{Q}(u_-,u_1)$、$\vec{Q}(u_-,u_2)$ 分别为 $u(t)$ 在 (u_-,u_1) 之间和 (u_-,u_2) 之间变化一个周期时的磁滞损耗。

4.7 算例

我们选用的计算模型如图 4-15 所示,一种磁滞材料制作的金属平板,外面缠绕两个同样的绕组,平板沿水平方向的磁滞回线及一阶回转曲线如图 4-16 所示,沿垂直方向的相对导磁率为 1 800。金属平板厚度为 1mm。

我们首先给绕组施加一个非常大的反向电流,使其处于负饱和状态,然后我们改变电流大小。使磁场沿主回线上升支增加,当电流达到某个值时(500A),再逐渐减少电流值,使磁场沿一阶回转曲线变化。当电流变化到 5A 时,其磁力线分布如图 4-17 所示,坐标原点选择在平板中心,x 轴沿水平方向。

图 4-18 表示当材料处于反向饱和状态后,输入电流增加,使磁场沿主回线上升支变化,对应于磁场的不同取值,所计算出的比磁滞损耗曲线。

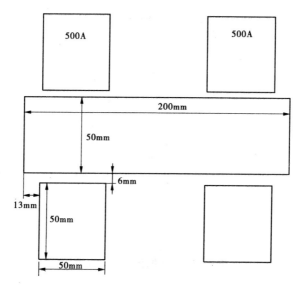

图 4-15　磁滞损耗的计算模型

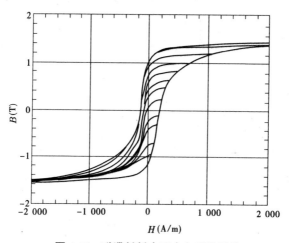

图 4-16　磁滞材料水平方向磁滞回线

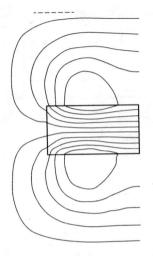

图 4-17　磁力线分布(1/2 区域)

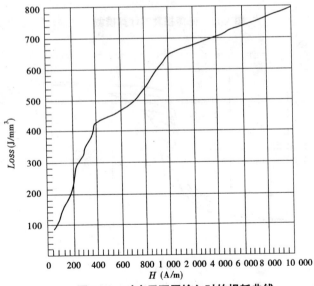

图 4-18　对应于不同输入时的损耗曲线

4.8 小结

目前,不动点方法在非线性方程组的数值解上得到了广泛的应用,本章讨论了用不动点方法中的同伦算法求解非线性方程组的思想,并将不动点算法与 Preisach 磁滞模型相结合来处理磁滞多值性有限元方程组的求解问题,通过先确定出其各个回转点(磁化曲线上的分叉点),最后求出对应于某一变化过程的磁场问题的数值解。同时,本章也提出了考虑磁滞效应时静磁场问题磁滞损耗计算公式,并结合一些具体的模型进行了分析计算。

第5章 旋转磁滞问题和
交变磁滞问题的研究

本章首先阐述了旋转磁场激励下 Preisach 图的构成及旋转矢量磁滞模型,接着在对一些典型的交变磁滞模型进行阐述的基础上提出了一种考虑媒质各向异性及矢量可逆行为的新的动态矢量 Preisach 模型,并对分布函数的确定方法进行了详细的讨论。

5.1 旋转磁滞问题

当外加激励场的方向随时间发生变化(旋转)时,不管其大小是否发生变化,在该激励场下的磁性材料中产生的磁化强度都要经历一个旋转磁化过程,并且其磁化强度与外加激励场有一个滞后角。在旋转磁场激励下,单元磁滞算子会在原来的上、下开关场反应的基础上增加一个旋转自由度,并且对方向有记忆特性。因此,不可能用传统的标量 Preisach 模型来描述旋转磁化过程,而且目前提出的大多数矢量模型也并未考虑旋转磁化现象。

5.1.1 旋转磁场激励下 Preisach 图构造[40,41]

在外加场从退磁状态增加到 H_a 时的 Preisach 图的构成如图 5-1(a)所示。

图中 H_t 为媒质内的磁场,H_{ts} 为媒质内的饱和场值,a_t、b_t 为上下开关场值,此时区域 S^- 中的单元与磁场的方向相反,区域 S^+ 中的单元与磁场方向平行。在旋转磁场激励下,Preisach 算子的旋转特性是由外加场 H_a 和总磁场 $H_t = H_a + \xi M$ 来决定的,如果外加场从图 5-1(a)的状态以恒定值旋转,则 Preisach 图构造变成图 5-1(b)所示,图中 θ_t 为 H_t 的相位角。此时,对应于图 5-1(a)

的 S^+ 区域分成了 3 个区域 Ⅰ、Ⅱ 和 Ⅳ，区域 Ⅰ 中的单元有 $a_t <$
H_a，它们的磁化强度与外磁场具有相同的取向且可逆旋转；区域
Ⅱ 中的单元，有 $H_a < b_t < a_t < H_t$，以滞后于外加场一个 ψ_{lag} 角不
可逆旋转；区域 Ⅲ 和 Ⅳ 中的单元有 $H_t < b_t$，维持它们先前的取向，
但 Ⅲ、Ⅳ 的边界随着平行那个取向的场分量的改变而移动。

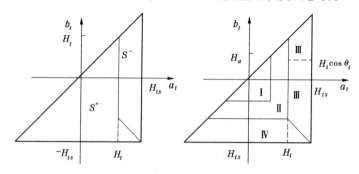

(a)外加场从退磁状态增加到 H_a 时Preisach图 (b)外加场从(a)状态旋转后的Preisach图

图 5-1 恒定值旋转磁场时的 Preisach 图

如果外加场是一个椭圆场(为旋转场和交变场的叠加)，即不
仅它的方向发生改变，而且大小也发生变化。此时，随着外加场
$\vec{H}_a$ 的变化，Preisach 图的变化过程如图 5-2 所示。图 5-2(a)表示
当外加场从饱和值开始减小到 H_a 时的初始状态。如果 $\vec{H}_a$ 以
$H_1(1 + K\sin\theta)$ 量值旋转时，这里 θ 是外加场的相角，H_1 为任意
正值，K 值为 $0 < K < 1$，则 Preisach 平面构成如图5-2(b)~图 5-2(d)
那样变化。

在图 5-2 中，图 5-2(b)与图 5-2(a)一样被分为四部分，从
图 5-2(a)~图 5-2(b)的变化过程中，随着外加场值的变化，图 5-2(a)
中的各个区域都要发生变化，区域 Ⅰ 和 Ⅱ 增大，区域 Ⅰ 中的单元保
持与外加场方向一致，区域 Ⅱ 中的单元与外加场方向有一滞后角，
区域 Ⅲ 和 Ⅳ 减少，其中的单元方向不随外加场的变化而发生改变。

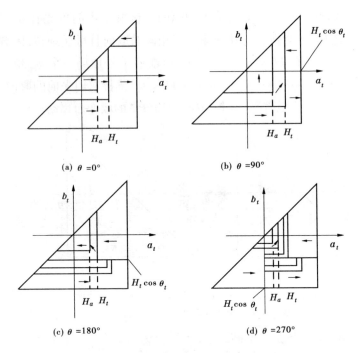

图 5-2　椭圆旋转磁场时的 Preisach 图

但从图 5-2(c)～图 5-2(d)随着外加场值的减少,区域Ⅰ和Ⅱ减少,在这两个区域中不受总的磁场影响的单元维持它们先前的取向而形成很多区域。

5.1.2　旋磁问题的矢量磁滞模型

5.1.2.1　矢量磁滞算子

在标量 Preisach 单元中,单元磁滞算子只有两个值 +1 和 -1,即它只有两种可能的取向 0° 和 180°。而在矢量模型中,矢量磁滞算子具有旋转能力,滞后于外加场 H_a 方向一个相位角 ψ。因此,矢量磁滞算子 $\hat{r}_{\alpha\beta}$ 是标量算子的一种扩展形式,我们称 $\hat{r}_{\alpha\beta}$ 为当外加场的上、下开关场值为 α、β 时的矢量 Preisach 算子(如图 5-3

所示),这里 x、y 坐标平面是为表示外加矢量场及矢量算子的方向而引入的。

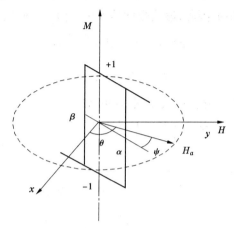

图 5-3　矢量磁滞算子

5.1.2.2　旋转矢量磁滞模型

旋转磁场的总磁化强度可以通过密度函数在整个 Preisach 平面上的矢量积分而求得。因此,无论外加场是否为椭圆场,旋磁问题的矢量模型表示为

$$\vec{M} = \iint_{a_t \leqslant b_t} \rho(a_t, b_t)\hat{\vec{r}}_{a\beta t}\vec{H}_t\, \mathrm{d}a_t\, \mathrm{d}b_t \qquad (5\text{-}1)$$

这里 $\hat{\vec{r}}_{a\beta}$ 为总场的矢量 Preisach 算子。式(5-1)表示的是磁化强度与总的磁化场的关系,磁化强度与外加场的关系可以通过迭代法求出。

5.1.2.3　旋转矢量磁滞模型的讨论

我们首先来讨论滞后角 ψ 的确定问题。旋磁问题在计算磁化强度矢量时,必须先确定出滞后角 ψ。滞后角 ψ 需要由实验测定,对于给定的外加磁场 H_a 和磁化强度相关常量 ξ 的关系式为

$$\vec{M} = f(\vec{H}_t) = f(\vec{H}_a + \xi\vec{M})$$

使用垂直的接收（Pick-up）线圈和磁转矩表可测得磁化强度，$M_H = |\vec{M}| \cos\eta$（平行于 $\vec{H}_a$ 方向的分量，如图 5-4 所示）和转矩 $\tau = |\vec{MH}_a| \sin\eta$。因此，磁化强度的大小可由下式确定

$$M = \sqrt{(\tau/H_a)^2 + M_H^2} \qquad (5\text{-}2)$$

$$\eta = \sin^{-1} \frac{\tau}{|MH_a|} \qquad (5\text{-}3)$$

图 5-5 为磁化强度矢量图，这里 $\vec{M}_I$ 为区域 I 中的磁化强度，因此区域 II 中的磁化强度由下式确定

$$\vec{M}_{II} = \vec{M} - \vec{M}_I \qquad (5\text{-}4)$$

滞后角 ψ 由下式确定

$$\psi = \theta - \lambda \doteq \theta - \angle \vec{M}_{II} \qquad (5\text{-}5)$$

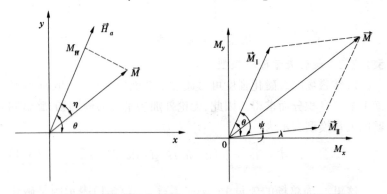

图 5-4　磁场和磁化强度矢量图　　图 5-5　磁化强度矢量图

由于通常 ψ 不是一个常数，而是随着外加场的变化而变化。因此，在磁滞计算过程中，常把它作为样条函数。

当输入沿一个固定方向发生变化时，输出也将沿该方向变化。因此，磁化强度或磁通密度也将沿该方向发生变化。此时，矢量磁滞模型变为标量模型。

5.2 交变磁滞模型

在第 2 章中,我们详细讨论了静态情况下的各种标量与矢量 Preisach 磁滞模型,但这些模型只考虑到过去变化过程历史对磁化强度的影响,而没有对外加场的变化速度对磁化强度的影响加以考虑。事实上磁性材料在交变场作用下,磁滞回线的形状是随着外加交变场的频率的变化而变化的,并且交变场情况下的磁滞回线的形状还取决于材料的电导率、磁导率以及磁矩在外加场方向的旋转速度等因素,因此需要考虑磁畴的动态行为。

在对交变情况下磁性材料的磁化特性的研究上,G. Bertotti、D. C. Jiles 和 S. Hayano 等从微磁学角度出发,对动态磁化行为进行了研究,分别提出了各自的动态磁滞模型。I. D. Mayergoyz 则通过在其提出的静态模型中引入与输出变化速度相关联的项,结合实验测定的衰减到静态值时的弛豫时间,提出了自己的动态磁滞模型。

5.2.1 Bertotti 的动态模型 I

Bertotti 的动态模型是从单个活动磁体(统计上相互独立的关联区域)的平衡方程出发而得出的,它可以表示为[34]

$$\Phi_{M0}(t) = \frac{1}{\sigma G}\left[H_a(t) - H_m(t) - H_d(t) - H_c\right] \quad (5\text{-}6)$$

$$H_m = H_d(M) + \Delta H_m \quad (5\text{-}7)$$

式中:σ 为电导率;$G = 0.136$;H_m 描述与其他部分的静磁相互作用;$H_d(M)$ 为磁化强度的单值函数;ΔH_m 与时间无关;H_d 为由不同的活动磁体产生的涡流场的累加效应;H_c 为阻止磁体运动的局部矫顽场。

$$H = H_a - H_d - H_d, \quad \alpha = H_c + \Delta H_m \quad (5\text{-}8)$$

则式(5-6)变为

$$\phi(t,\alpha) = K[H(t) - \alpha] \quad (5\text{-}9)$$

$$K = \frac{N_0}{\sigma G S M_S} \qquad (5\text{-}10)$$

$$\phi(t,\alpha) = \Phi_{M0}/\Phi_{max}, \Phi_{max} = SM_S/N_0 \qquad (5\text{-}11)$$

式中：$\phi(t,\alpha)$是归一化的磁密比率；S 为所考虑截面面积；M_S 为饱和磁化强度；N_0 为总的活动磁体数。

因此，$\phi(t,\alpha)$可以表示为

$$\begin{cases} \phi(t,\alpha) = \phi_0(\alpha) & (\text{对于 } H(t) < \alpha) \\ \phi(t,\alpha) = \phi_0(\alpha) + \int_{t_0}^{t} \phi(t',\alpha)dt' & (\text{对于 } H(t) > \alpha) \end{cases}$$

$$(5\text{-}12)$$

式中：$\Phi_0(\alpha)$为磁体被激活之前的磁密。

由于每个磁体（MO）与 Preisach 平面上的一个点相对应，而 Preisach 函数 $p(\alpha,\beta)$表示磁体上、下开关场的统计分布。因此，当外加场 $H(t)$单调增加时，系统在时刻 t 的磁化强度 $M(t)$可以表示为

$$M(t) = M_S \int_{-\infty}^{\infty} d\alpha\phi(t,\alpha) \int_{-\infty}^{\alpha} d\beta p(\alpha,\beta) \equiv \int_{-\infty}^{\infty} d\alpha\mu(\alpha)\phi(t,\alpha)$$

$$(5\text{-}13)$$

式中：函数 $\mu(\alpha)$表示在准静态条件下的磁化曲线斜率。

5.2.2　Bertotti 的动态模型 Ⅱ

该模型引入可逆磁化过程的贡献，这在非晶态材料中是非常重要的，为了准确地描述磁滞回线的形状，该项不能被忽略。在这个模型中，在某一时刻的磁化强度 $M(t)$可以表示为 Preisach 函数的积分形式为[35]

$$M(t) = (M_s - \Delta M_{rev}) \int_{-H_m}^{H_m} d\alpha \int_{-Hn}^{\alpha} d\beta p(\alpha,\beta) \phi[\alpha,\beta,H(t)]$$

$$+ \frac{\Delta M_{rev}}{c\Gamma(\frac{1}{c})} \int_0^{H(t)/H_{rev}} dx \exp(-\mid x \mid^c) \qquad (5\text{-}14)$$

式中：M_s 为饱和磁化强度；H_m 为对于给定回线的峰值磁场；$p(\alpha,\beta)$ 为开关场分布；$\phi[\alpha,\beta,H(t)]$ 为每一单元回线在时刻 t 的状态。

式(5-14)右边第二项为可逆磁化分量项，ΔM_{rev} 表示从退磁状态到饱和时，可逆过程的总的贡献。函数 $\phi[\alpha,\beta,H(t)]$ 的取值并不局限于 ± 1，而是 t 的一个连续函数，它表示涡流对畴壁运动的阻尼效应，满足 $\dfrac{\partial \phi}{\partial t} \propto (H-\alpha)$ 或 $\dfrac{\partial \phi}{\partial t} \propto (H-\beta)$ 形式的速率方程。

式(5-14)中的 H_{rev} 可以表示为

$$H_{rev} = \Delta M_{rev} \Big/ \Big[c\Gamma\Big(\frac{1}{c}\Big) \mu_{rev} \Big] \tag{5-15}$$

式中：μ_{rev} 为初始磁化率。

函数 $p(\alpha,\beta)$ 可由磁化过程的微观描述推出，它可取下面形式（对软磁材料）

$$p(h_c,h_u) = \frac{1}{4\pi h_c} \exp\Big[-\frac{(\lg h_c)^2}{2} - \frac{h_u^2}{8} \Big] \tag{5-16}$$

式中：$h_c = (\alpha-\beta)/2H_c$，$h_u = -(\alpha+\beta)/2H_c$，$h_c$、$h_u$ 分别是点 (α,β) 上的归一化的矫顽场和与单元回线相关的相互作用场，而 H_c 为需要确定的场参数。

5.2.3 Jiles 模型

该模型不考虑磁性材料的涡流效应，即看做非导电材料。这样在交变场作用下的磁化强度 $M(t)$ 可以看成是它在静态情况下的磁化强度 $M_\infty(H)$ 与一个偏差磁化强度 $\Delta M(t,H)$ 的和，即

$$M(t) = M_\infty(H) + \Delta M(t,H) \tag{5-17}$$

静态磁化分量 $M_\infty(H)$ 与时间无关，它由磁化历史来确定，由静态 Preisach 模型即可求得 $M_\infty(H)$。而偏差项满足如下形式的微分方程

$$\frac{d^2}{dt^2}\Delta M(t,H) + 2\lambda \frac{d}{dt}\Delta M(t,H) + \omega_n^2 \Delta M(t,H) = 0$$

$$(5-18)$$

上式也可改写为

$$\frac{d^2}{dt^2}M(t) + 2\lambda \frac{d}{dt}M(t) + \omega_n^2 M(t) = \omega_n^2 M_\infty(H) \quad (5-19)$$

式中：ω_n 为自然频率，它可由铁磁共振频率来计算；λ 为衰减系数。

铁磁共振频率可由下式计算：

$$\dot{\omega}_\gamma = \gamma \cdot \frac{M_S}{\mu_{i-1}} \cdot \left(\frac{8\pi(\mu_{i-1})}{d}\delta\right)^{1/2} \quad (5-20)$$

式中：γ 为旋磁率；μ_i 为相对初始导磁率；M_S 为饱和磁化强度；δ 为壁厚；d 为平均畴的大小。

共振频率和自然频率的关系为

$$\omega_\gamma = \omega_n \cdot \sqrt{1 - (\lambda/\lambda_{cr})^2} \quad (5-21)$$

式中：λ_{cr} 为 λ 的临界值。

5.2.4 Chua-type 模型[36]

该模型将总的磁场 H 看做是静磁场 H_S 和动态磁场的累加。对于静磁场，有

$$B = \mu_0 H_S + nB_S = \mu_0\left(1 + \frac{nB_S}{\mu_0 H_S}\right)H_S = \mu H_S \quad (5-22)$$

这里 B_S、n、μ_0 和 λ 分别为每个畴中的饱和磁密、与外加场方向一致的磁畴数、空气磁导率、样品导磁率，将上式对时间微分产生下列关系

$$\frac{dB}{dt} = \mu_0 \frac{dH}{dt} + B_S \frac{dn}{dt} = \left(\mu_0 + B_S \frac{\partial n}{\partial H}\right)\frac{dH}{dt} + B_S \frac{\partial n}{\partial x} \cdot \frac{dx}{dt}$$

$$= \mu_r \frac{dH}{dt} + B_S \frac{\partial n}{\partial x}v \quad (5-23)$$

式中：H、v、μ_r 分别为外加磁场、磁畴运动速度、可逆导磁率。

在式(5-23)中引入磁滞系数，则由于磁畴运动引起的磁场 H_d 为

$$H_d = \frac{1}{S}B_s\frac{\partial n}{\partial x}v = \frac{1}{S}\left(\frac{\mathrm{d}B}{\mathrm{d}t} - \mu_r\frac{\mathrm{d}H}{\mathrm{d}t}\right) \tag{5-24}$$

因此有

$$H = H_s + H_d = \frac{1}{\mu}B + \frac{1}{S}B_s\frac{\partial n}{\partial x}v = \frac{1}{\mu}B + \frac{1}{S}\left(\frac{\mathrm{d}B}{\mathrm{d}t} - \mu_s\frac{\mathrm{d}H}{\mathrm{d}t}\right) \tag{5-25}$$

方程(5-25)即为基于磁畴的 Chua-type 模型。

5.2.5 Mayergoyz 的动态 Preisach 模型

该模型在标量 Preisach 模型的 Preisach 函数中引入与输出变化速度相关联的项，对于经典 Preisach 模型和 Input-dependent 模型可分别表示为

$$f(t) = \iint_{\alpha\geqslant\beta}\mu\left(\alpha,\beta,\frac{\mathrm{d}f}{\mathrm{d}t}\right)\hat{r}_{\alpha\beta}u(t)\mathrm{d}\alpha\mathrm{d}\beta \tag{5-26}$$

$$f(t) = \iint_{\alpha\geqslant\beta}\mu\left(\alpha,\beta,u(t),\frac{\mathrm{d}f}{\mathrm{d}t}\right)\hat{r}_{\alpha\beta}u(t)\mathrm{d}\alpha\mathrm{d}\beta + \frac{1}{2}(f_{u(t)}^- + f_{u(t)}^+) \tag{5-27}$$

将 μ 函数对 $\dfrac{\mathrm{d}f}{\mathrm{d}t}$ 进行幂级数展开，并仅保留一阶项整理后，式(5-26)、式(5-27)分别可得

$$f(t) = \vec{f}_1(t) + \frac{\mathrm{d}f}{\mathrm{d}t}\iint_{\alpha\geqslant\beta}\mu_1(\alpha,\beta)\hat{r}_{\alpha\beta}u(t)\mathrm{d}\alpha\mathrm{d}\beta \tag{5-28}$$

$$f(t) = \vec{f}_2(t) + \frac{\mathrm{d}f}{\mathrm{d}t}\iint_{\alpha\geqslant\beta}\mu_1(\alpha,\beta,\mu(t))\hat{r}_{\alpha\beta}u(t)\mathrm{d}\alpha\mathrm{d}\beta \tag{5-29}$$

这里 $\vec{f}_1(t)$ 和 $\vec{f}_2(t)$ 分别表示式(5-26)、式(5-27)中的磁滞非线性的静态分量。

现在来讨论式(5-28)、式(5-29)中函数 $\mu_1(\alpha,\beta)$、$\mu_1(\alpha,\beta,u(t))$ 的确定方法。

先讨论 $\mu_1(\alpha,\beta)$ 确定方法。设输入 $u(t)$ 由负饱和开始单调增加直到达到某个值 α，然后保持输入不变，则相应的输出衰减到它的静态值时所需的时间 τ_a；输入由负饱和状态增加到某个值 α 后，再单调减小到 β，然后保持输入不变，输出衰减到静态值所用的时间为 $\tau_{\alpha\beta}$。此时引入函数

$$q(\alpha,\beta) = \tau_a - \tau_{\alpha\beta} \qquad (5\text{-}30)$$

则有

$$\mu_1(\alpha,\beta) = -\frac{1}{2}\frac{\partial^2 q(\alpha,\beta)}{\partial\alpha\partial\beta} \qquad (5\text{-}31)$$

同样，对于 $\mu_1(\alpha,\beta,u(t))$ 的确定。设 $\tau_{\alpha u}$ 表示输入由负饱和单调增加到 α 后，再单调减小到 μ 后保持不变，输出衰减到其静态值时所用的时间；$\tau_{\alpha\beta u}$ 表示输出由负饱和状态单调增加到 α，再单调减小到 β，然后再单调增加到 u 后保持不变，输出衰减到静态值时的时间，引入函数

$$Q(\alpha,\beta,u) = \tau_{\alpha u} - \tau_{\alpha\beta u} \qquad (5\text{-}32)$$

则有

$$\mu_1(\alpha,\beta,u) = -\frac{1}{2}\frac{\partial^2 Q(\alpha,\beta,u)}{\partial\alpha\partial\beta} \qquad (5\text{-}33)$$

5.2.6 Mayergoyz 的动态矢量 Preisach 模型[38]

该模型是一个适用于各向同性材料的二维矢量模型。该模型的思想也是在矢量 Preisach 模型的 Preisach 函数中引入输出变化速度 $\dfrac{\mathrm{d}f_\varphi}{\mathrm{d}t}$ 相关联的项。它可表示为

$$\vec{f}(t) = \int_{-\pi/2}^{\pi/2} \hat{e}_\varphi \left[\iint_{\alpha \geqslant \beta} \mu\left(\alpha,\beta,\frac{\mathrm{d}f_\varphi}{\mathrm{d}t}\right)\hat{r}_{\alpha\beta}u_\varphi(t)\mathrm{d}\alpha\mathrm{d}\beta \right]\mathrm{d}\varphi$$

$$(5\text{-}34)$$

将 $\mu\left(\alpha,\beta,\dfrac{\mathrm{d}f_\varphi}{\mathrm{d}t}\right)$ 对 $\mathrm{d}f_\varphi/\mathrm{d}t$ 进行幂级数展开,仅保留一阶项整理后,得

$$\vec{f}(t) = \vec{f}_0(t) + \int_{-\pi/2}^{\pi/2} \hat{e}_\varphi \frac{\mathrm{d}f_\varphi}{\mathrm{d}t}\left(\iint_{\alpha \geqslant \beta} \mu_1(\alpha,\beta)\hat{r}_{\alpha\beta} u_\varphi(t)\mathrm{d}\alpha\mathrm{d}\beta\right)\mathrm{d}\varphi$$

(5-35)

这里

$$\vec{f}(t) = \int_{-\pi/2}^{\pi/2} \hat{e}_\varphi\left(\iint_{\alpha \geqslant \beta} \mu_0(\alpha,\beta)\hat{r}_{\alpha\beta} u_\varphi(t)\mathrm{d}\alpha\mathrm{d}\beta\right)\mathrm{d}\varphi$$

(5-36)

函数 $\mu_0(\alpha,\beta)$ 和 $\mu_1(\alpha,\beta)$ 为 $\mu(\alpha,\beta,\dfrac{\mathrm{d}f_\varphi}{\mathrm{d}t})$ 进行幂级数展开后的常数项及一阶项系数。

下面来讨论函数 $\mu_1(\alpha,\beta)$ 的确定。设 τ_α 表示输入沿某一方向由负饱和状态单调增加到 α 后保持不变,输出衰减到其静态值时的弛豫时间;$\mathrm{d}f_\varphi/\mathrm{d}t$ 表示输入沿某一方向由负饱和增加到 α 后,再单调减小到 β,然后保持不变,输出衰减到其静态值时的弛豫时间,引入函数 $q(\alpha,\beta)$,即

$$q(\alpha,\beta) = \frac{1}{2}(\tau_\alpha - \tau_{\alpha\beta})$$ (5-37)

再引入函数 $P_1(\alpha,\beta)$,它和 $q(\alpha,\beta)$ 之间的关系为

$$\int_{-\pi/2}^{\pi/2} \cos^2\varphi P_1(\alpha\cos\varphi,\beta\cos\varphi)\mathrm{d}\varphi = q(\alpha,\beta)$$ (5-38)

则函数 $\mu_1(\alpha,\beta)$ 可由下式确定

$$\mu_1(\alpha,\beta) = -\frac{\partial^2 P_1(\alpha,\beta)}{\partial\alpha\partial\beta}$$ (5-39)

5.3 一个新的动态矢量 Preisach 模型

Mayergoyz 提出的动态矢量 Preisach 模型只是一个适用于各

向同性材料的二维矢量模型,该模型的基本思想是在其矢量 Preisach 模型的分布函数中引入与输出变化速度相关联的项而进行幂级数展开而得到。由于其矢量模型保留了经典模型一些缺陷,对磁滞的矢量可逆行为并未予以考虑,这样就限制了该模型描述动态交变磁滞的准确性。为了能够描述材料的各向异性特性且对动态交变磁滞回线进行更加准确的描述,我们提出了一个考虑材料各向异性特性及矢量可逆行为的动态矢量模型。

5.3.1 模型提出

现从 Mayergoyz 的非线性模型出发来推导动态矢量 Preisach 模型。该模型的数学表示为

$$f(t) = \iint_{\alpha \geqslant \beta} \mu(\alpha, \beta, u(t)) \hat{r}_{\alpha\beta} u(t) \mathrm{d}\alpha \mathrm{d}\beta + \int_{-\infty}^{\infty} r(\alpha) \hat{\lambda} u(t) \mathrm{d}\alpha$$

(5-40)

式中:$u(t)$、$f(t)$ 分别为输入和对应输出;$\hat{r}_{\alpha\beta}$ 和 $\hat{\lambda}$ 表示单元磁滞算子。

现以该模型为构成模块,将其沿各个方向进行矢量叠加,得其矢量形式为

$$\vec{f}(t) = \int_{-\pi/2}^{\pi/2} \hat{e}_{\varphi} \left(\iint_{\alpha \geqslant \beta} \mu(\alpha, \beta, u(t), \varphi) \hat{r}_{\alpha\beta} u_{\varphi}(t) \mathrm{d}\alpha \mathrm{d}\beta \right) \mathrm{d}\varphi$$

$$+ \int_{-\pi/2}^{\pi/2} \hat{e}_{\varphi} \left(\int_{-\infty}^{\infty} r(\alpha, \beta) \hat{\lambda} u_{\varphi}(t) \mathrm{d}\alpha \right) \mathrm{d}\varphi$$

(5-41)

式中:$u_{\varphi}(t)$ 为输入沿极角指定方向的输入投影;$\hat{e}_{\varphi}$ 为极角 φ 指定方向的单位矢量。

该模型的三维形式为

$$\vec{f}(t) = \int_{0}^{2\pi} \int_{0}^{\pi/2} \hat{e}_{\varphi, \theta} \left(\iint_{\alpha \geqslant \beta} \mu(\alpha, \beta, u(t), \varphi, \theta) \hat{r}_{\alpha\beta} u_{\varphi, \theta}(t) \mathrm{d}\alpha \mathrm{d}\beta \right)$$

$$\times \sin\theta \mathrm{d}\theta \mathrm{d}\varphi + \int_{0}^{2\pi} \int_{0}^{\pi/2} \hat{e}_{\varphi, \theta} \left(\int_{-\infty}^{\infty} r(\alpha, \varphi, \theta) \hat{\lambda} u_{\varphi, \theta}(t) \mathrm{d}\alpha \right)$$

$$\times \sin\theta \mathrm{d}\theta \mathrm{d}\varphi$$

(5-42)

式中：$\hat{e}_{\varphi,\theta}$为沿极角φ,θ指定方向的单位矢量；$u_{\varphi,\theta}(t)$为输入沿该方向上的投影。

在式(5-41)、式(5-42)中分别引入输出变化速度相关联的项后，对于二维情况，有

$$\vec{f}(t) = \int_{-\pi/2}^{\pi/2} \hat{e}_{\varphi} \left(\iint_{\alpha \geqslant \beta} \mu\left(\alpha, \beta, u(t), \varphi, \frac{\mathrm{d}f_{\varphi}}{\mathrm{d}t}\right) \hat{r}_{\alpha\beta} u_{\varphi}(t) \mathrm{d}\alpha \mathrm{d}\beta \right) \mathrm{d}\varphi$$
$$+ \int_{-\pi/2}^{\pi/2} \hat{e}_{\varphi} \left(\int_{-\infty}^{\infty} r\left(\alpha, \frac{\mathrm{d}f_{\varphi}}{\mathrm{d}t}, \varphi\right) \hat{\lambda} u_{\varphi}(t) \mathrm{d}\alpha \right) \mathrm{d}\varphi \qquad (5\text{-}43)$$

对于三维情况，有

$$\vec{f}(t) = \int_0^{2\pi} \int_0^{\pi/2} \hat{e}_{\varphi,\theta} \left(\iint_{\alpha \geqslant \beta} \mu\left(\alpha, \beta, u(t), \varphi, \theta, \frac{\mathrm{d}f_{\varphi,\theta}}{\mathrm{d}t}\right) \hat{r}_{\alpha\beta} u_{\varphi,\theta}(t) \mathrm{d}\alpha \mathrm{d}\beta \right)$$
$$\times \sin\theta \mathrm{d}\theta \mathrm{d}\varphi + \int_0^{2\pi} \int_0^{\pi/2} \hat{e}_{\varphi,\theta} \left(\int_{-\infty}^{\infty} r\left(\alpha, \varphi, \theta, \frac{\mathrm{d}f_{\varphi,\theta}}{\mathrm{d}t}\right) \hat{\lambda} u_{\varphi,\theta}(t) \mathrm{d}\alpha \right)$$
$$\times \sin\theta \mathrm{d}\theta \mathrm{d}\varphi \qquad (5\text{-}44)$$

现将与输出变化速度相关联的项进行幂级数展开，仅保留一次项。对于二维情况，整理后得

$$\vec{f}(t) = \vec{f}_0(t) + \int_{-\pi/2}^{\pi/2} \hat{e}_{\varphi} \frac{\mathrm{d}f_{\varphi}}{\mathrm{d}t} \left(\iint_{\alpha \geqslant \beta} \mu'(\alpha, \beta, u(t), \varphi) \hat{r}_{\alpha\beta} u_{\varphi}(t) \mathrm{d}\alpha \mathrm{d}\beta \right) \mathrm{d}\varphi$$
$$+ \int_{-\pi/2}^{\pi/2} \hat{e}_{\varphi} \frac{\mathrm{d}f_{\varphi}}{\mathrm{d}t} \left(\int_{-\infty}^{\infty} r'(\alpha, \varphi) \hat{\lambda} u_{\varphi}(t) \mathrm{d}\alpha \right) \mathrm{d}\varphi \qquad (5\text{-}45)$$

对于三维情况，整理后得

$$\vec{f}(t) = \vec{f}_{01}(t) + \int_0^{2\pi} \int_0^{\pi/2} \hat{e}_{\varphi,\theta} \frac{\mathrm{d}f_{\varphi,\theta}}{\mathrm{d}t}$$
$$\times \left(\iint_{\alpha \geqslant \beta} \mu''(\alpha, \beta, u(t), \varphi, \theta) \hat{r}_{\alpha\beta} u_{\varphi,\theta}(t) \mathrm{d}\alpha \mathrm{d}\beta \right) \sin\theta \mathrm{d}\theta \mathrm{d}\varphi$$
$$+ \int_0^{2\pi} \int_0^{\pi/2} \hat{e}_{\varphi,\theta} \frac{\mathrm{d}f_{\varphi,\theta}}{\mathrm{d}t} \left(\int_{-\infty}^{\infty} r''(\alpha, \varphi, \theta) \hat{\lambda} u_{\varphi,\theta}(t) \mathrm{d}\alpha \right) \sin\theta \mathrm{d}\theta \mathrm{d}\varphi$$
$$(5\text{-}46)$$

上两式中$\vec{f}_0(t)$和$\vec{f}_{01}(t)$分别代表式(5-41)或式(5-42)中的静态

项。

式(5-45)、式(5-46)就是我们推出的考虑动态可逆磁化过程后的动态矢量 Preisach 模型。

5.3.2 二维情况下分布函数的确定

将式(5-45)中的 $\mu'(\alpha,\beta,u(t),\varphi)$ 和 $r'(\alpha,\varphi)$ 分别用有限傅立叶级数展开,得

$$\mu'(\alpha,\beta,u(t),\varphi) = \sum_{n=-N}^{N} \mu_n(\alpha,\beta,u(t)) e^{i2n\varphi} \quad (5\text{-}47)$$

$$r'(\alpha,\varphi) = \sum_{m=-M}^{M} r_m(\alpha) e^{i2m\varphi} \quad (5\text{-}48)$$

将式(5-47)、式(5-48)代入式(5-45),得

$$\vec{f}(t) = \vec{f}_0(t) + \sum_{n=-N}^{N} \int_{-\pi/2}^{\pi/2} \hat{e}_\varphi \frac{\mathrm{d}f_\varphi}{\mathrm{d}t} e^{i2n\varphi}$$
$$\times \left(\iint_{\alpha \geqslant \beta} \mu_n(\alpha,\beta,u(t)) \hat{r}_{\alpha\beta} u_\varphi(t) \mathrm{d}\alpha \mathrm{d}\beta \right) \mathrm{d}\varphi$$
$$+ \sum_{m=-M}^{M} \int_{-\pi/2}^{\pi/2} \hat{e}_\varphi \frac{\mathrm{d}f_\varphi}{\mathrm{d}t} e^{i2m\varphi} \left(\int_{-\infty}^{\infty} r_m(\alpha) \hat{\lambda} u_\varphi(t) \mathrm{d}\alpha \right) \mathrm{d}\varphi \quad (5\text{-}49)$$

现假定沿由极角 φ_j、φ_k 指定方向进行测试

$$\varphi_j = \frac{j\pi}{2N+1} \quad (j=0,1,\cdots,2N) \quad (5\text{-}50)$$

$$\varphi_k = \frac{k\pi}{2M+1} \quad (k=0,1,\cdots,2M) \quad (5\text{-}51)$$

设 φ 和 φ_j、φ_k 之间的夹角分别为

$$\varphi' = \varphi - \varphi_j \quad (5\text{-}52)$$

$$\varphi'' = \varphi - \varphi_k \quad (5\text{-}53)$$

用 $\tau_{\alpha u}$ 表示输入沿 φ_j 方向由负饱和状态增加到 α 后,再单调减小到 $u_{\varphi j}$ 后保持不变,输出衰减到其稳态值时的弛豫时间;用 $\tau_{\alpha\beta u}$ 表示输入沿 φ_j 方向由负饱和状态增加到 α 后,再单调减小到 β,然后

再单调增加到 $u_{\varphi j}$ 后保持不变,相应的输出衰减到其稳态值时的弛豫时间,引入函数

$$q_i(\alpha, \beta, u(t)) = \frac{1}{2}(\tau_{\alpha u} - \tau_{\alpha \beta u}) \qquad (5\text{-}54)$$

同样,用 τ'^{+}_{α} 表示输入沿 φ_k 方向由负饱和状态单调增加到 α 后保持不变,相应的输出衰减到其稳态值时的弛豫时间;τ'^{-}_{α} 表示沿 φ_k 方向的输入由正饱和状态单调减小到 α 后保持不变,相应的输出衰减到其稳态值时的弛豫时间,引入函数

$$q'_k(\alpha) = \frac{1}{2}(\tau'^{+}_{\alpha} - \tau'^{-}_{\alpha}) \qquad (5\text{-}55)$$

再引入函数 $P_n(\alpha, \beta, u(t))$ 和 $P'_m(\alpha)$,它们与 $\mu_n(\alpha, \beta, u(t))$ 和 $r_m(\alpha)$ 之间的关系为

$$P_n(\alpha, \beta, u(t)) = \iint_{\alpha \geqslant \beta} \mu_n(\alpha, \beta, u(t)) \hat{r}_{\alpha \beta} u_{\varphi}(t) \mathrm{d}\alpha \mathrm{d}\beta$$
$$(5\text{-}56)$$

$$P'_m(\alpha) = \int_{-\infty}^{\infty} r_m(\alpha) \hat{\lambda} u_{\varphi}(t) \mathrm{d}\alpha \qquad (5\text{-}57)$$

则有下列关系:

$$\sum_{n=-N}^{N} \int_{-\pi/2+\varphi_j}^{\pi/2+\varphi_j} \cos\varphi' \mathrm{e}^{i2n\varphi'} P_n(\alpha\cos\varphi', \beta\cos\varphi', u(t)\cos\varphi') \mathrm{d}\varphi'$$
$$= q_j(\alpha, \beta, u(t)) \qquad (5\text{-}58)$$

$$\sum_{m=-M}^{M} \int_{-\pi/2+\varphi_k}^{\pi/2+\varphi_k} \cos\varphi'' \mathrm{e}^{i2m\varphi''} P'_m(\alpha\cos\varphi'') = q'_k(\alpha) \qquad (5\text{-}59)$$

依次沿各个不同的方向进行测试,最后由式(5-58)、式(5-59)可得 $2(M + N + 1)$ 个联立方程组,求解该联立方程组,即得 $P_n(\alpha, \beta, u(t))$ 和 $P'_m(\alpha)$ 的值,因此有

$$\mu'(\alpha, \beta, \varphi, u(t)) = \sum_{n=-N}^{N} \mathrm{e}^{i2n\varphi}\left(-\frac{\partial^2 P_n(\alpha, \beta, u(t))}{\partial\alpha\partial\beta}\right)$$
$$(5\text{-}60)$$

$$r'(\alpha, \varphi) = \sum_{m=-M}^{M} e^{i2m\varphi} \left(\frac{1}{2} \frac{dP'_m(\alpha)}{d\alpha} \right) \qquad (5\text{-}61)$$

5.3.3 三维情况下分布函数的确定

将 $\mu''(\alpha, \beta, u(t), \varphi, \theta)$ 和 $r''(\alpha, \beta, \theta)$ 用有限傅立叶级数展开,得

$$\mu''(\alpha, \beta, u(t), \varphi, \theta) = \sum_{n=-N}^{N} \sum_{m=-M}^{M} \mu_{n,m}(\alpha, \beta, u(t)) e^{i(2n\varphi + 2m\theta)}$$

$$(5\text{-}62)$$

$$r''(\alpha, \varphi, \theta) = \sum_{n'=-N'}^{N'} \sum_{m'=-M'}^{M'} r_{n',m'}(\alpha) e^{i2(n'\varphi + m'\theta)} \qquad (5\text{-}63)$$

将式(5-62)、式(5-63)代入式(5-46)得

$$\vec{f}(t) = \vec{f}_{01} + \sum_{n=-N}^{N} \sum_{m=-M}^{M} \int_{0}^{2\pi} \int_{0}^{\pi/2} \hat{e}_{\varphi,\theta} \frac{df_{\varphi,\theta}}{dt} e^{i2(n\varphi + m\theta)}$$

$$\times \left(\iint_{\alpha \geqslant \beta} \mu_{n,m}(\alpha, \beta, u(t)) \hat{r}_{\alpha\beta} u_{\varphi,\theta}(t) d\alpha d\beta \right) \sin\theta d\theta d\varphi$$

$$+ \sum_{n'=-N'}^{N'} \sum_{m'=-M'}^{M'} \int_{0}^{2\pi} \int_{0}^{\pi/2} \hat{e}_{\varphi,\theta} \frac{df_{\varphi,\theta}}{dt} e^{i2(n'\varphi + m'\theta)}$$

$$\times \left(\int_{-\infty}^{\infty} r_{n',m'}(\alpha) \hat{\lambda} u_{\varphi,\theta}(t) d\alpha \right) \sin\theta d\theta d\varphi$$

$$(5\text{-}64)$$

现在假定沿由极角 φ_j、θ_k 指定的方向进行实验测定,以确定 $\mu_{n,m}(\alpha, \beta, u(t))$

$$\varphi_j = \frac{j \cdot 2\pi}{2N+1} \quad (j = 0, 1, \cdots, 2N) \qquad (5\text{-}65)$$

$$\theta_k = \frac{k \cdot \pi/2}{2M+1} \quad (k = 0, 1, \cdots, 2M) \qquad (5\text{-}66)$$

同样,假定沿由极角 $\varphi'_{j'}$、$\theta'_{k'}$ 指定的方向进行实验测定,以确定 $r_{n',m'}(\alpha)$

$$\varphi'_{j'} = \frac{j' \cdot 2\pi}{2N' + 1} \quad (j' = 0, 1, \cdots, 2N') \qquad (5\text{-}67)$$

$$\theta'_{k'} = \frac{k' \cdot \pi/2}{2M' + 1} \quad (k' = 0, 1, \cdots, 2M') \qquad (5\text{-}68)$$

现用 $\tau_{\alpha u}$ 表示输入沿 $\hat{e}_{\phi_j, \theta_k}$ 方向由负饱和状态单调增加到 α 后,再单调减小到 u_{φ_j, θ_k} 后保持不变,相应输出衰减到其稳态值时的弛豫时间;$\tau_{\alpha\beta u}$ 表示输入沿 $\hat{e}_{\varphi_j, \theta_k}$ 方向由负饱和状态单调增加到 α 后,再单调减小到 β,然后再单调增加到 u_{φ_j, θ_k} 后保持不变,相应输出衰减到稳态值时的弛豫时间,引入函数

$$q_{j,k}(\alpha, \beta, u(t)) = \frac{1}{2}(\tau_{\alpha u} - \tau_{\alpha\beta u}) \qquad (5\text{-}69)$$

同样,用 τ_α^{+} 表示输出沿 $\hat{e}_{\varphi'_{j'}, \theta'_{k'}}$ 方向由负饱和状态单调增加到 α 后保持不变,相应输出衰减到其稳态值时的弛豫时间;τ_α^{-} 表示输入沿 $\hat{e}_{\varphi'_{j'}, \theta'_{k'}}$ 方向由正饱和状态单调减小到 α 后保持不变,相应的输出衰减到其稳态值时的弛豫时间,引入函数

$$q'_{j',k'}(\alpha) = \frac{1}{2}(\tau_\alpha^{+} + \tau_\alpha^{-}) \qquad (5\text{-}70)$$

现假定 $\hat{e}_{\varphi, \theta}$ 和 $\hat{e}_{\varphi_j, \theta_k}$ 之间的夹角为 Φ,$\hat{e}_{\varphi, \theta}$ 和 $\hat{e}_{\varphi'_{j'}, \theta'_{k'}}$ 之间的夹角为 Φ',Φ 和 Φ' 由下式确定

$$\hat{e}_{\varphi, \theta} \cdot \hat{e}_{\varphi_j, \theta_k} = \cos\Phi = (\sin\theta\cos\varphi\hat{e}_x + \sin\theta\sin\varphi\hat{e}_y + \cos\theta\hat{e}_z)$$
$$\times (\sin\theta_k\cos\varphi_j\hat{e}_x + \sin\theta_k\sin\varphi_j\hat{e}_y + \cos\theta_k\hat{e}_z) \quad (5\text{-}71)$$

$$\hat{e}_{\varphi, \theta} \cdot \hat{e}_{\varphi'_{j'}, \theta'_{k'}} = \cos\Phi' = (\sin\theta\cos\varphi\hat{e}_x + \sin\theta\sin\varphi\hat{e}_y + \cos\theta\hat{e}_z)$$
$$\times (\sin\theta'_{k'}\cos\varphi'_{j'}\hat{e}_x + \sin\theta'_{k'}\sin\varphi'_{j'}\hat{e}_y + \cos\theta'_{k'}\hat{e}_z) \quad (5\text{-}72)$$

引入函数 $P_{n,m}(\alpha, \beta, u(t))$ 和 $P'_{n',m'}(\alpha)$,它们和 $\mu_{n,m}(\alpha, \beta, u(t))$ 及 $r_{n',m'}(\alpha)$ 之间的关系为

$$P_{n,m}(\alpha,\beta,u(t)) = \iint_{\alpha \geqslant \beta} \mu_{n,m}(\alpha,\beta,u(t))\hat{\gamma}_{\alpha\beta}u_{\varphi,\theta}(t)\mathrm{d}\alpha\mathrm{d}\beta$$

$$\text{(5-73)}$$

$$P'_{n',m'}(\alpha) = \int_{-\infty}^{\infty} r_{n',m'}(\alpha)\hat{\lambda}u_{\varphi,\theta}(t)\mathrm{d}\alpha \qquad \text{(5-74)}$$

则有下列关系

$$\sum_{n=-N}^{N}\sum_{m=-M}^{M}\int_{\varphi_j}^{2\pi+\varphi_j}\int_{\theta_k}^{\pi/2+\theta_k}\cos\Phi\mathrm{e}^{i2(n\varphi'+m\theta')}P_{n,m}$$

$$\times (\alpha\cos\Phi,\beta\cos\Phi,u(t)\cos\Phi)\sin\theta'\mathrm{d}\theta'\mathrm{d}\varphi' = q_{j,k}(\alpha,\beta,u(t))$$

$$\text{(5-75)}$$

$$\sum_{n'=-N'}^{N'}\sum_{m'=-M'}^{M'}\int_{\varphi'_{j'}}^{-2\pi+\varphi'_{j'}}\int_{\theta'_{k'}}^{\pi/2+\theta'_{k'}}\cos\Phi'\mathrm{e}^{i2(n'\varphi''+m'\theta'')}P'_{n',m'}(\alpha\cos\Phi')$$

$$\times \sin\theta''\mathrm{d}\theta''\mathrm{d}\varphi'' = q'_{j'k'}(\alpha) \qquad \text{(5-76)}$$

其中 $\varphi' = \varphi - \varphi_j$, $\theta' = \theta - \theta_k$, $\varphi'' = \varphi - \varphi'_{j'}$, $\theta'' = \theta - \theta'_{k'}$。

依次沿各个不同的方向进行测试,最后由式(5-75)、式(5-76)可得 $(2N+1)(2M+1)(2N'+1)(2M'+1)$ 个联立方程组,求解该联立方程组,即可得 $P_{n,m}(\alpha,\beta,u(t))$ 和 $P'_{n',m'}(\alpha)$。则有

$$\mu''(\alpha,\beta,u(t),\varphi,\theta)$$

$$= \sum_{n=-N}^{N}\sum_{m=-M}^{M}\left(-\frac{\partial^2 P_{n,m}(\alpha,\beta,u(t))}{\partial\alpha\partial\beta}\right)\mathrm{e}^{i2(n\varphi+m\theta)} \qquad \text{(5-77)}$$

$$r''(\alpha,\varphi,\theta) = \sum_{n'=-N'}^{N'}\sum_{m'=-M'}^{M'}\left(\frac{1}{2}\frac{\mathrm{d}P'_{n',m'}(\alpha)}{\mathrm{d}\alpha}\right)\mathrm{e}^{i2(n'\varphi+m'\theta)}$$

$$\text{(5-78)}$$

5.4 小结

旋转磁化下的 Preisach 图构造比较复杂,单元磁滞算子也不再只有两个分量,而是有一个滞后角。交变情况下的磁滞模型虽然提出了不少,但大都是从单个磁畴的运动出发的,涉及较多的需

要实验测定的微观参数。本章从 Mayergoyz 的动态矢量Preisach模型出发,提出了一种新的动态矢量 Preisach 模型,该模型考虑了媒质各向异性及矢量可逆行为。

第6章 磁滞电机的分析与计算

本章首先阐述了磁滞电机参数的有限元计算方法;同时针对方波驱动电容分相磁滞电机,阐述了其性能计算的解析法;最后提出了一种磁滞电机耦合场问题的二维有限元计算方案,该法由于利用了 Preisach 磁滞模型,可以得到比较精确的结果。

6.1 引言

目前,对于中小型的无刷同步电机的需求呈增长趋势,而其中的磁滞电机在那些要求精确的转速及恒定起动转矩的设备中一直受到特别的青睐。磁滞电机是一种利用材料磁滞特性的自起动同步电机。它的构造简单,含有定子和磁滞环。定子结构类似于传统的交流电机的定子结构,磁滞环是转子的一部分,它是由半硬磁滞材料构成。转子结构是一个圆柱体,磁滞电机不需要特殊的起动设备,具有自起动能力,随输入电压频率变化而同步旋转。由于齿槽,电流及其分布的影响,这种电机容易受空间谐波的影响。因此,用传统的解析法处理有一定的缺陷,而用有限单元法来处理是比较方便的。本章我们结合 Preisach 磁滞模型利用有限单元法来处理磁滞电机的计算问题。

6.2 磁滞电机参数的有限元计算

用限定单元法求取旋转电机的磁场及其参数是电机设计技术上的一项重要的改进,同传统的经典设计方法相比[115,116],有限元法的这个后处理过程可以对电机的参数及性能得到更加准确的预计。该后处理过程涉及的参数和性能计算包括绕组中的感应电动势、气隙磁密和各种电抗等。

6.2.1 感应电动势

传统上旋转电机的感应电动势是根据气隙磁密计算的。此时,假设线圈放置在气隙里,并与气隙磁通相交链。实际上,线圈是放置在槽中,而认为磁力线在槽中与导体相交链。有限定单元法是从已知的磁位值出发,直接计算线圈的磁链值来计算感应电动势的。

对于载面积很小的单个线圈,设线圈匝数为 N,线圈上层边位于槽中 U 点,下层边位于另一槽中 L 点(图 6-1),电枢轴向计算长度为 l_i,那么,任一时刻 t 时线圈的磁链为

$$\Psi(t) = Nl_i(A_U - A_L) \tag{6-1}$$

式中:A_U、A_L 分别为节点 U 处和节点 L 处的矢量磁位。

当槽中线圈截面面积较大时,可采用下面方法来计算磁链。设线圈的上层边和下层边各穿过 n 个三角形单元,线圈 k 的上层边穿过三角形单元的编号为 1 到 n,下层边穿过的单元编号为 $n+1$ 到 $2n$。那么,与线圈 k 在任意时刻 t 交链的磁链应为[110]

图 6-1 计算线圈磁链

$$\Psi_k = \sum_{e=1}^{n} \iint_{\Delta_e} Al_i \frac{\mathrm{d}x\mathrm{d}y}{q_a} - \sum_{e=n+1}^{2n} \iint_{\Delta_e} Al_i \frac{\mathrm{d}x\mathrm{d}y}{q_a}$$

$$= \frac{l_i}{q_a} \left[\sum_{e=1}^{n} \frac{\Delta_e}{3}(A_i + A_j + A_m) - \sum_{e=n+1}^{2n} \frac{\Delta_e}{3}(A_i + A_j + A_m) \right]$$

$$\tag{6-2}$$

式中:l_i 为电机的计算长度;q_a 为线圈边每匝的截面面积,它等于线圈边截面面积 Q_a 除以匝数 N,即 $q_a = Q_a/N_j$;Δ_e 为三角形单元截面面积;A_i、A_j、A_m 为三角形 3 个顶点的矢量磁位。

设电枢绕组每极每相线圈数为 q，每相并联支路数为 a，极对数为 p，则每相绕组的磁链为

$$\Psi(t) = \frac{1}{a} \sum_{k=1}^{2pq} \Psi_k(t)$$

$$= \frac{Nl_i}{aQ_a} \sum_{k=1}^{2pq} \left[\sum_{e=1}^{n} \frac{\Delta_e}{3}(A_i + A_j + A_m) \right.$$

$$\left. - \sum_{e=n+1}^{2n} \frac{\Delta_e}{3}(A_i + A_j + A_m) \right] \quad (6\text{-}3)$$

每相感应电动势 $e(t) = -\mathrm{d}\Psi/\mathrm{d}t$，如果电机转速恒定，则电角频率 $\omega = \mathrm{d}\theta/\mathrm{d}t$ 为常量，θ 是空间电角度，因此感应电动势可写为

$$e(t) = -\omega \frac{\mathrm{d}}{\mathrm{d}\theta} \Psi(\theta) \quad (6\text{-}4)$$

理论上要得到完整的电动势波形，必须在一个周期内计算许多个磁场。但由于磁滞电机是一个以定子槽距为周期的重复性磁结构，实际计算中只需计算定转子间的一个相对位置，而让一相定子绕组相对于磁路结构逐次转动一个定子槽距角 $\Delta\theta = 2p\pi/Z_1$，每次计算其磁链值，Z_1 为定子槽数，从而在一个周期内得到 Z_1/p 个离散的磁链值。

采用三次样条插值来求取磁链，再将它展开成傅立叶级数表达式。

$$\Psi(\theta) = \sum_{v=1}^{\infty} \left[A_v \cos(v\theta) + B_v \sin(v\theta) \right] \quad (6\text{-}5)$$

将上式代入感应电动势表达式后可得

$$e(t) = \sum_{v=1}^{\infty} \left[C_v \cos(v\omega t) + D_v \sin(v\omega t) \right] \quad (6\text{-}6)$$

式中：$C_v = -v\omega B_v$；$D_v = v\omega A_v$。

谐波感应电动势幅值为

$$E_v = v\omega \sqrt{A_v^2 + B_v^2} \quad (6\text{-}7)$$

6.2.2 气隙磁密

在有限元的数值计算方法中,磁通密度值可以由每个单元的向量磁位对位置函数的微分而求得。由于一阶有限元解得的每个剖分单元的磁密为常值,如果需要考察齿、槽结构对气隙磁密分布的影响时,必须在齿、槽交界的附近范围内加细剖分大量的单元,这是不经济合理的。下面我们介绍两种在合理的离散化程度下确定气隙节点磁密的方法。

方法一:适用于二维有限元情况。该法已被 Armstrong 和 Biddlecombe 描述过。在该方法中,单元磁密由向量磁位对位置函数的微分求得。节点处的磁密可由包围该节点的所有单元的磁密乘以权值 $\alpha_i/2\pi$ 而求得。设包围节点 e 的单元数为 n,各个单元的磁密为 $B_i(i=1,\cdots,n)$,则节点 e 的磁密为(图 6-2(a))[111]

$$B(e) = \sum_{i=1}^{n} B_i \cdot \alpha_i/2\pi \quad (i = 1,2,\cdots,n) \qquad (6\text{-}8)$$

式中:α_i 为第 i 个单元对节点 e 所张的角度。

由于在空气与铁芯交界面上磁密切向分量不连续,此时计算方法应作相应的修改。此时应分别计算空气中和铁芯中该节点的磁密值,径向磁密值应为这两个值的平均值。

方法二:该方法也仅适用于二维情况,在该方法中(图 6-2(b),$\overline{de}$ 表示定子铁芯和气隙交界面上的一条单元边,$\overline{de}$ 边上的径向气隙磁密 $B_r(de)$ 可以通过节点 d 和节点 e 处的矢量磁位 A_d 和 A_e,用差商公式求得

$$B_r(de) = \frac{A_d - A_e}{L} \qquad (6\text{-}9)$$

节点 e 处的径向磁密可通过节点 e 左、右两单元边上径向磁密的加权平均值求得:

$$B_r(\theta_e) = \frac{(\theta_e - \theta_f)B_r(de) + (\theta_d - \theta_e)B_r(e_f)}{\theta_d - \theta_f} \qquad (6\text{-}10)$$

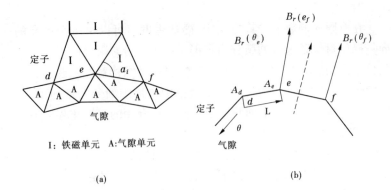

图 6-2 气隙节点磁密的确定

式中: θ_d、θ_e、θ_f 分别为以角度表示的节点 d、e、f 的空间位置。

在合理的离散化程度下,上述两种方法的精确程度近似相同[112]。

6.2.3 电感

绕组电感计算通常采用磁链法或能量法。采用磁链法时,绕组电感表示为

$$L = \Psi / i \qquad (6\text{-}11)$$

若线圈边截面面积较大,并设二线圈边共占 $2n$ 个剖分单元,线圈电感为

$$L = \frac{1}{i} \sum_{e=1}^{2n} l_i \iint_{\Delta_e} \frac{A}{q_a} \mathrm{d}x\mathrm{d}y = \frac{l_i}{i Q_a} \sum_{e=1}^{2n} \frac{\iint_{\Delta_e} A J \mathrm{d}x \mathrm{d}y}{|J|} \qquad (6\text{-}12)$$

式中:用 J 的正、负表示线圈边绕向。

式(6-12)又可写为

$$L = \frac{N l_i}{i Q_a} \sum_{e=1}^{2n} \frac{J}{|J|} \frac{\Delta_e}{3} (A_i + A_j + A_m) \qquad (6\text{-}13)$$

采用能量法时,线圈的电感表示为

$$L = \frac{2W_m}{i^2} = \frac{2}{i^2} \int_V \left(\int_0^B H \mathrm{d}B \right) \mathrm{d}V \qquad (6\text{-}14)$$

式中：W_m 为计算区域 V 中储藏的磁场能量。

6.2.4 槽漏抗

定子绕组槽漏抗是电机的一个重要的磁参数，它对电机的运行性能有重要影响。长期以来，电机工作者一直沿用文献[115]中的设计公式来计算定子绕组的槽漏抗。这在实际上存在着一定的误差，下面介绍许善椿等提出的槽漏抗的单槽模型分析法。

磁场储能可以采用下列各种公式计算[113]

$$W_m = \frac{1}{2} \int A \cdot \vec{J} \mathrm{d}V \qquad (6\text{-}15)$$

或

$$W_m = \frac{1}{2\mu_0} \int B^2 \mathrm{d}V \qquad (6\text{-}16)$$

当采用式(6-15)时，积分区域只需包括各种载流区。而采用式(6-16)时，积分区域还应包含非载流区。

槽内单位轴向长度导体相关的磁能的离散形式为

$$W_{m0} = \frac{1}{2} \sum_e AJ\Delta_e \quad \text{或} \quad W_{m0} = \frac{1}{2\mu_0} \sum_e B^2 \Delta_e \qquad (6\text{-}17)$$

式中：Δ_e 为单元 e 的面积。

一相绕组的磁场储能为

$$W_m = \frac{2W_1^2}{pq} L_{ef} W_{m0} \qquad (6\text{-}18)$$

式中：W_1 为每相串联匝数；p 为电机极对数；q 为每极每相槽数；L_{ef} 为定子铁芯长度。

同时磁场储能与对应的电路电感存在下列关系

$$W_m = \frac{1}{2} LI^2 \qquad (6\text{-}19)$$

因此，可得载流体对应的电抗为

$$X = \omega L = \omega \cdot \frac{2W_m}{I^2} \qquad (6\text{-}20)$$

6.3 方波驱动电容分相磁滞电动机性能的解析计算

6.3.1 电机模型

所分析的磁滞电机模型如 6.5 所述。该电机绕组形式为不对称的二相绕组(A 相,B 相),A、B 两相在空间正交,其匝数比为 $k = (W_B/W_A)$,导线截面面积比为 $1/k$,其绕组外接方式如图 6-3 所示。其输入电压波形为标准方波(角频率为 ω)。在进行解析分析时,不考虑定子铁芯饱和的影响,假定电机的结构参数 r_1(定子电阻)、X_{11}(定子漏抗)、r_{01}(激磁电阻)、X_{01}(激磁电抗)、

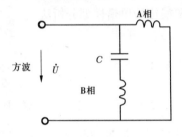

图 6-3　绕组外接线方式

k_r(阻抗折合因子)、k_1(阻抗折合系数)及转子材料的磁滞回线族均为已知。分析时仅考虑到基波逆序和三次谐波正序磁场的影响。

6.3.2 方波电压的傅立叶级数分解及磁滞角正弦 $\sin\gamma_v$ 的计算[117,118]

为了便于分析,我们将方波电压进行傅立叶级数分解,得

$$U' = \sum_{v=1}^{2n+1} \frac{2\sqrt{2}}{\pi} U \cdot \frac{1}{v} \qquad (n = 1, 2, \cdots) \qquad (6\text{-}21)$$

分解后的第 v 次谐波对应的电容容抗为

$$X_{Cv} = \frac{1}{2\pi f Cv} \qquad (6\text{-}22)$$

由材料的磁滞回线族求得对应基波磁密 B_{1m} 的磁导率与磁滞角 γ_1 的正弦 $\sin\gamma_1$。

$$\begin{cases} \dot\mu_1 = B_{1m}/H_{1m} \\ \sin\gamma_1 = \dfrac{S_{01}}{\pi H_{1m}B_{1m}} \end{cases} \quad (6\text{-}23)$$

式中：S_{01} 为基波磁滞回线面积，并作出相应的 B_{1m} 与 μ_1 及 B_{1m} 与 $\sin\gamma_1$ 曲线。

同样，还应作出 B_{1m} 与 μ_v 及 B_{1m} 与 $\sin\gamma_v$ 的关系曲线。

6.3.3 基波与三次谐波相电流计算

6.3.3.1 基波正序电流计算

首先假定一个 B_{1m}，由 B_{1m} 与 μ_1、$\sin\gamma_1$ 曲线，求得相应的 μ_1 与 $\sin\gamma_1$。基波正序分量等值电路如图 6-4 所示。

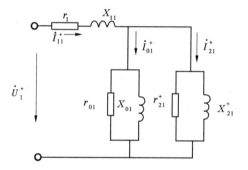

图 6-4 基波正序分量等值电路

基波正序相电流可以表示为

$$\dot I_{11}^+ = \dot I_{01}^+ + \dot I_{21}^+$$

$$= \dot E_1^+\left(\frac{1}{r_{01}} - j\,\frac{1}{X_{01}}\right) + \dot E_1^+\left(\frac{1}{r_{21}^+} + \frac{1}{jX_{21}^+}\right) \quad (6\text{-}24)$$

其中 $\dot E_1^+ = k_1 B_{1m}\angle 0$[117]，基波正序相电压为

$$\dot U_1^+ = \dot I_{11}^+(r_1 + jX_{11}) + \dot E_1^+ \quad (6\text{-}25)$$

6.3.3.2 基波逆序分量相电流计算

由假定 B_{1m}，查曲线求得相应的 μ_2 与 $\sin\gamma_2$。基波逆序分量

等值电路如图 6-5 所示。

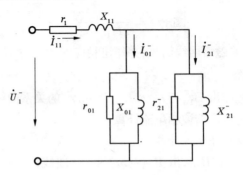

图 6-5　基波逆序分量等值电路

基波逆序分量相电流可以表示为[117]

$$\dot{I}_{11}^- = \frac{(-1+jk)\cdot\dot{U}_1^+ + \dfrac{X_{01}}{k}\dot{I}_{11}^+}{(1+jk)Z_1^- + \dfrac{X_{01}}{k}} \qquad (6\text{-}26)$$

$$Z_1^- = r_1 + Z' = r_1 + jX_{11} + \frac{1}{\left(\dfrac{1}{r_{01}} + \dfrac{1}{r_{21}^-}\right) - j\left(\dfrac{1}{X_{01}} + \dfrac{1}{X_{21}^-}\right)}$$

$$(6\text{-}27)$$

基波逆序电压 $\dot{U}_1^-$ 及基波电压 $\dot{U}_1$ 分别为

$$\begin{cases} \dot{U}_1^- = \dot{I}_{11}^- \cdot Z_1^- \\ \dot{U}_1 = \dot{U}_1^+ + \dot{U}_1^- \end{cases} \qquad (6\text{-}28)$$

6.3.3.3　三次谐波正序相电流计算

由假定的 B_{1m}，查曲线得到 μ_3 和 $\sin\gamma_3$。

三次谐波正序相电流为

$$\begin{cases} \dot{I}_{A3} = \dfrac{\dot{U}_3}{Z_3} \\[3mm] \dot{I}_{B3} = \dfrac{\dot{U}_3}{k^2 Z_3 - jX_{c3}} \\[3mm] \dot{I}_{13}^{+} = \dot{I}_{A3} + \dot{I}_{B3} \end{cases} \tag{6-29}$$

收敛性判断,判断算得的 $\dot{U}_1$ 是否等于方波电压的基波分量。若等于或在要求误差范围之内,则继续;否则,重新假定 B_{1m},重做步骤 6.3.3。

6.3.4 A 相、B 相及电容电压计算

A 相电压即外加相电压

$$\begin{cases} \dot{U}_{A1} = \dot{U}_1 = \dot{U}_1^{+} + \dot{U}_1^{-} \\[2mm] \dot{U}_{A3}^{+} = \dot{U}_3 \end{cases} \tag{6-30}$$

B 相电压为

$$\begin{cases} \dot{U}_{B1} = jk(\dot{U}_1^{+} - \dot{U}_1^{-}) \\[2mm] \dot{U}_{Bv} = \dot{I}_{Bv}k^2 Z_v \qquad (v = 3,5) \end{cases} \tag{6-31}$$

电容电压为

$$\dot{U}_{cv} = \dot{I}_{Bv}(-jX_{cv}) \qquad (v = 1,3,5) \tag{6-32}$$

6.3.5 其他量的计算

输入功率为

$$\begin{aligned} P_1 = & \sum_{v=1,3} U_v I_{Av}\cos(\angle \dot{U}_v - \angle \dot{I}_{Av}) \\ & + \sum_{v=1,3} U_v I_{BV}\cos(\angle \dot{U}_v - \angle \dot{I}_{Bv}) \end{aligned} \tag{6-33}$$

电磁功率为

$$\begin{aligned} P_e = & m\big[(I_{21}^{+}\sin\gamma_1)^2 r_{21}^{+} - (I_{21}^{-}\sin\gamma_2)^2 r_{21}^{-}\big] \\ & + m\sin^2\gamma_3 \cdot r_{23}\big[(I_{13}^{+}k_3)^2 - (I_{13}^{-} \cdot k_3)^2\big] \end{aligned} \tag{6-34}$$

电磁效率为

$$\eta_e = \frac{P_e}{P_1} \qquad (6\text{-}35)$$

输出功率为

$$P_2 = \eta_2 P_e \qquad (6\text{-}36)$$

输出力矩为

$$T = \frac{P_2 \times 10^5}{1.02n} \qquad (6\text{-}37)$$

输出效率为

$$\eta = \frac{P_2}{P_1} \qquad (6\text{-}38)$$

6.4 磁滞电机的二维有限元计算

6.4.1 基本假设

(1)将铁芯看做无限长,因此电机内磁场分布作为二维情况处理。

(2)假定定子铁芯及磁滞环的电导率均为零,即不考虑涡流产生的影响。

(3)认为转子衬套为绝缘材料,且导磁率 μ 为 μ_0。

(4)由于磁滞环的完全对称性,可认为转子运动对磁场的分析没有影响。

(5)不考虑定子铁芯材料的磁滞效应(因矽钢片剩磁很小)。

(6)认为定子铁芯及磁滞环都是各向同性材料。

6.4.2 求解区域、基本方程及边界条件[119~125]

这里,我们取一个周期(即对所讨论的计算模型取 1/4 圆周)作为求解区域,则边界上满足周期性边界条件。如图 6-6 所示。

6.4.2.1 主控方程的导出

在交变情况下,不考虑涡流影响并忽略位移电流,可引入矢量磁位 $\vec{A}$ 作为求解变量,由麦克斯韦方程组与磁性材料关系表达式

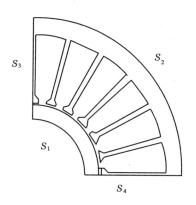

图6-6 求解区域

$$\vec{B} = \mu_0(\vec{H} + \vec{M}) \tag{6-39}$$

可以导出主控方程为

$$\nabla \times \nabla \times \vec{A} = \mu_0\vec{J}_S + \mu_0\nabla \times \vec{M} \tag{6-40}$$

二维情况下,由$\vec{A}$、$\vec{J}_S$只有Z方向分量,由上式简化为

$$-\left(\frac{\partial^2 A}{\partial x^2} + \frac{\partial^2 A}{\partial y^2}\right) = \mu_0 J_S + \mu_0\frac{\partial M_y}{\partial x} - \mu_0\frac{\partial M_x}{\partial y} \tag{6-41}$$

采用伽辽金有限元法,将场域进行剖分,则有

$$G_i = \iint N_i\left[\frac{\partial^2 A}{\partial x^2} + \frac{\partial^2 A}{\partial y^2} + \mu_0\left(\frac{\partial M_y}{\partial x} - \frac{\partial M_x}{\partial y}\right) + \mu_0 J_S\right]\mathrm{d}x\mathrm{d}y = 0 \tag{6-42}$$

式中:N_i为各单元的形状函数。

将式(6-42)中的积分进行离散化后,得

$$G_i = \sum_{e=1}^{N_{ei}}\left[\sum_{ke=1}^{3} S_{ike}A_{ke} - \frac{1}{2}\mu_0(M_x^e d_{ie} - M_y^e c_{ie}) - \frac{1}{3}\mu_0 J_e\Delta_e\right] = 0 \tag{6-43}$$

式中:N_{ei}为单元数,Δ_e为单元面积。

$$S_{ike} = \frac{1}{4\Delta_e}[c_{ie}c_{je} + d_{ie}d_{je}] \tag{6-44}$$

其中

$$c_{ie} = y_{je} - y_{ke}, d_{ie} = x_{ke} - x_{je} \tag{6-45}$$

式中：ie、je、ke 为 1、2、3 的循环下标。

式(6-45)为一联立方程组，它可以表示为

$$[K]\{A\} + \{M(A)\} = \{F\} \tag{6-46}$$

这里 $[K]$ 和 $\{F\}$ 项与不考虑磁滞时相同，$\{M(A)\}$ 为考虑磁滞时引起的磁化强度项，它是 A 的多值函数。

边界条件：由于在边界 S_3、S_4 上满足周期性边界条件，因此有

$$A \mid S_3 = A \mid S_4 \tag{6-47}$$

在边界 S_1、S_2 上满足第一类边界条件

$$A \mid S_1 = A \mid S_2 = 0 \tag{6-48}$$

这样，考虑磁滞时二维场的定解问题可以表示为

$$\begin{cases} [K]\{A\} + \{M(A)\} = \{F\} \\ A \mid S_3 = A \mid S_4 \\ A \mid S_1 = A \mid S_2 = 0 \end{cases} \tag{6-49}$$

6.4.2.2 耦合电路方程

所分析电机模型为方波驱动电容分相磁滞电机(A、B 两相)。

A 相电路模型如图 6-7(a)所示，其电路电压方程为

$$u = e_A + i_A R_A + L_A \frac{di_A}{dt} \tag{6-50}$$

B 相的电路模型见图 6-7(b)，其电路电压方程为

$$u = e_B + i_B R_B + L_B \frac{di_B}{dt} + \frac{1}{C}\int_0^t i_B dt \tag{6-51}$$

式中：R_A、R_B 分别为 A、B 两相绕组的电阻；L_A、L_B 分别为 A、B 两相的端部漏电感。

这样，磁滞电机的耦合电路方程为

$$\begin{cases} u = e_\mathrm{A} + i_\mathrm{A} R_\mathrm{A} + L_\mathrm{A} \dfrac{\mathrm{d}i_\mathrm{A}}{\mathrm{d}t} \\ u = e_\mathrm{B} + i_\mathrm{B} R_\mathrm{B} + L_\mathrm{B} \dfrac{\mathrm{d}i_\mathrm{B}}{\mathrm{d}t} + \dfrac{1}{C} \displaystyle\int_0^t i_\mathrm{B} \mathrm{d}t \end{cases} \tag{6-52}$$

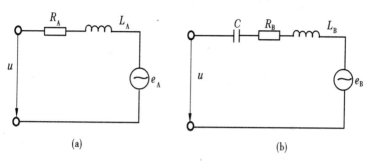

(a)   (b)

图 6-7　磁滞电机的路模型

6.4.3　电流迭代耦合求解方法[142]

由于在求解电机的矢势方程时,需要耦合等效的电路方程,因此必须选择合适的电流迭代格式,以降低迭代次数,减少计算时间,我们采用迭代格式如下:

(1)给电流赋初值$[\overline{I}]^{[k]}$, $k = 0([\overline{I}] = [\overline{i}_\mathrm{A}, \overline{i}_\mathrm{B}])$。

(2)采用考虑磁滞效应时求解静磁场有限元方程时的方法求解磁矢势方程,得 $A^{[k]}$。

(3)由 $A^{[k]}$ 计算电机的感应电动势及端部漏电感。

(4)计算新的电流向量$[\overline{I}]^{[k+1]}$,然后采用如下的欠松弛迭代格式进行修改

$$[\overline{I}]^{[k+1]} = \omega [\overline{I}]^{k+1} + (1 - \omega)[\overline{I}]^k \tag{6-53}$$

式中:ω 为欠松弛因子,取值范围为$[0,1]$。

(5)判断收敛条件 $\varepsilon = \| [\overline{I}]^{k+1} - [\overline{I}]^k \| / \| \overline{I}_r \| \leqslant \varepsilon_0$ 是否收敛,若满足则停止。否则 $k = k + 1$ 继续步骤(2)。

磁滞电机的有限元计算流程框图如图 6-8 所示。

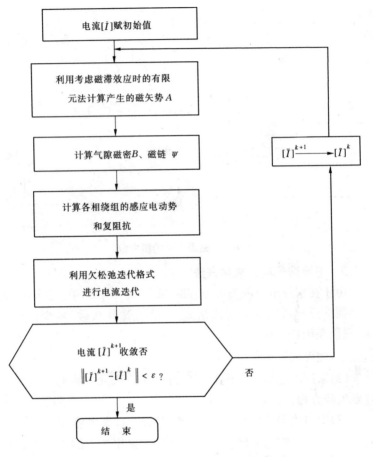

图 6-8 计算磁滞电机的相电流的流程图

6.5 计算实例

6.5.1 磁滞电机的结构

我们所分析的电机为方波驱动电容分相磁滞电动机。电动机绕组的外接线方式如图 6-3 所示。

实验电机的定子铁芯冲片如图6-9所示。

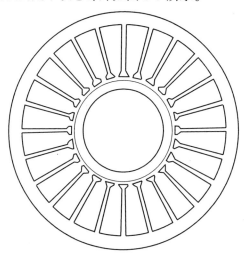

图 6-9　实验电机的定子铁芯冲片

材料:D42矽钢片　　外径:$D_h = 6.5$cm　铁芯长:$l = 3.7$cm

内径:$D_i = 3.0$cm　　槽径直径:$D_n = 5.8$cm

齿宽:$b_z = 0.145$cm　轭高:$h_a = 0.35$cm

槽数:$z = 24$　　　　槽口宽:$\delta_{bu} = 0.16$cm

槽形尺寸为:$hz = 1.4$cm　　$h = 1.215$cm　$h_1 = 1.235$cm

　　　　　　$h_z = -0.02$cm　$h_{uu} = 0.06$cm　$d_1 = 0.3$cm

　　　　　　$b_2 = 0.614$cm

转子环

材料:2J11铁钴钒磁滞合金610℃热处理

叠厚:$l = 3.7$cm　　　　外径:$D_2 = 2.97$cm

内径:$D_1 = 2.33$cm　　气隙:$f = 0.015$cm

定子绕组:为不对称二相绕组(A、B两相),每相都为正弦绕组形式,绕组接线图如图6-10所示。

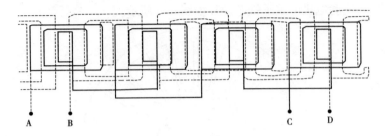

图 6-10　绕组接线

定子铁芯材料的磁化特性曲线如图 6-11 所示。

磁滞环材料的磁滞回线如图 6-12 所示。

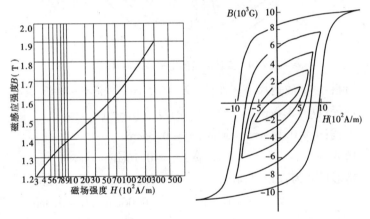

图 6-11　定子铁芯磁化特性曲线　　图 6-12　磁滞环材料的磁滞回线

6.5.2　计算结果及分析

对于我们的二相四极磁滞电机,我们用限定单元法求得 A、B 两相的电压、电流,并把它们与实验测定结果与解析法计算结果进行了比较,如图 6-13~图 6-16 所示(参数 $C = 80\mu F$, $V = 22.5V$, 定子电阻 $r = 5.0\Omega$,绕组匝比 $K = W_B/W_A = 1.365\,4$)。

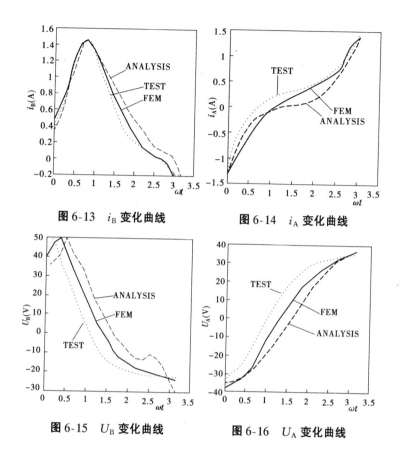

图 6-13 i_B 变化曲线

图 6-14 i_A 变化曲线

图 6-15 U_B 变化曲线

图 6-16 U_A 变化曲线

网格剖分如图 6-17 所示。

我们选用的电流迭代格式的收敛特性如图 6-18 所示。

从以上结果可以看出,采用结合 Preisach 磁滞模型的有限单元法可以得到比传统的解析法更为准确的计算结果,这说明我们提出的计算方案是切实可行的。

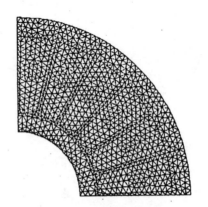

图 6-17　网格剖分

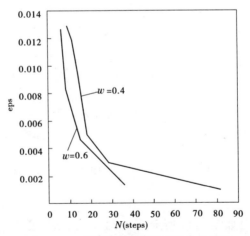

图 6-18　所选电流迭代格式的收敛特性

6.6　小结

通常磁滞电机的计算采用解析法进行,这种方法都是通过对转子环磁滞材料的磁化特性作某种近似(等效椭圆近似或等效平行四边形近似),这种近似都影响到计算结果的准确性。本章在讨论了磁滞电机参数的有限元计算及方波驱动电容分相磁滞电机的解析法之后,利用 Preisach 磁滞模型,提出了一种求解磁滞电机磁场和特性的有限元计算方案,并将所得结果与解析法计算结果及实验测定值进行了比较,证实了所提出方案的正确性。

第 7 章　人工神经网络在磁 场数值计算中的应用

　　本章阐述了人工神经网络在磁场数值计算中的应用，阐明了前向多层神经网络的反向传播学习算法。然后利用这种算法对多值性的磁滞回线进行了模拟仿真，所得结果与实际值得到了比较好的吻合。

7.1　引言

　　目前，人工神经网络方法在许多学科及工程领域中得到了广泛的应用。由于其强大的多级处理以及并行运算的能力，因此，Chang-Hoi Ahn，Sang-Soo Lee，Hyuek-Jae Lee 和 Soo-Young Lee 便最早将它们应用在有限元网络的自动产生上[126]，并得到了比较理想的非均匀变化的网络分布。随后，Dyck，lowther，McFee 提出了利用人工神经网络决定网络密度的方法[127]，并将其作为一个网络发生器[128]。S. Ratnajeevan，H. Hoole 尝试将前向反馈神经网络用于求解电磁场的逆向问题[129]，用于确定电磁设备的形状参数。在有先验值的情况下，且训练样本集接近于先验值时，可以得到较为满意的求解。如果完全没有先验知识，且训练样本集任意选取，则会造成相当大的误差，后来 Coccorese 等也在磁场逆向问题的神经网络处理上进行研究[133]。Mohammed，Merchant and Uler 把 Hopfied 网络与改进的模拟退火算法联合使用于电磁设备的优化设计问题[130]，这不但克服了模拟退火算法需要大量的数据样本集、计算时间长的缺点，提高了优化速度，而且同传统的优化设计方法相比，精度也有所提高。由于有限元法的求解过程是使能量函数最小化,而 Hopfield 网络的特性是随着时间的演变,其能量单调地减小到最小值。因此,可以将这两者关联起来。最近,Yamashita,kowata 等[131]以及 Jean-Daniel kant,Jo Le Drezen[132]都在这方面进行了研究,提出了将 Hopfield 网络用于求解有限元问题的方案,并且也都获得了较好的效果。

电磁设备的有限元分析目前已成为一种常规的设计工具,而该过程的关键是要建立一个描述材料磁化特性的磁滞模型。在考虑磁滞效应的有限元分析中,磁滞模型必须使用于每个单元,对于大型三维系统,为了能够追踪材料的行为需要剖分成千上万的单元,对于每一个单元,在每一个时间步长的不动点迭代过程中,都要多次利用 Preisach 模型来进行处理,因此计算是非常缓慢的。因此,如果能找到一种减少内存需求及加快运算速度的磁滞回线的模拟方案将是非常方便的[141]。Farrak. A. A. Zaker 等曾在模拟计算机上对主回线及微小回线进行了模拟,但由于其对微小回线采用了线性化近似方法,在精确性方面受到了一定的限制。下面我们提出了一个利用人工神经网络来对材料的磁滞回线进行模拟的方案。

7.2　磁滞多值性的人工神经网络模拟

7.2.1　前向多层神经网络的反向传播学习算法
7.2.1.1　前向多层神经网络概念[137~140]

前向多层神经网络的反向传播学习理论(Back-Propagation,缩写为 BP)最早是由韦伯斯(Werbs)在 1974 年提出来的,鲁梅尔哈特(Rumelhart)等于 1985 年发展了反向传播网络学习算法,实现了明斯基的(Minsky)多层网络的设想。该网络不仅有输入层节点,输出层节点,而且含有隐层节点。反向传播学习过程的原理如图 7-1 所示。

在这种网络中,学习过程由正向传播和反向传播组成。在正

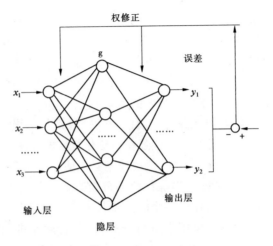

图 7-1　反向传播学习过程原理图

向传播过程中,输入信号从输入层经隐层单元逐层处理,并传向输出层。每一层神经元的状态只影响下一层神经元的状态。如果在输出层得不到期望的输出则反向传播,将输出信号的误差沿原来的连接通路返回。通过修改各层神经元的权值,使得误差信号最小。

节点作用函数通常选为 S 型函数。如

$$f(x) = \frac{1}{1 + \mathrm{e}^x} \tag{7-1}$$

BP 神经网络的行为可以看做是从输入空间的点到输出空间的点的映射,对于三层神经网络,其隐层节点的输入为

$$\mathrm{net}_j = \sum_{i=1}^{n} \omega_{ij} x_i - t_j \tag{7-2}$$

隐层节点的输出为

$$y_j = f_n(\mathrm{net}_j) \tag{7-3}$$

输出层节点的输入为

$$\text{net}_k = \sum_{l=1}^{q} \upsilon_{ck} y_L - t'_k \qquad (7-4)$$

输出层节点的输出为

$$Z_k = f_0(\text{net}_k) \qquad (7-5)$$

式中:n、q 分别为输入层、中间层的节点数;$\omega_{i,j}$、υ_{ck} 分别为输入层 – 隐层、隐层 – 输出层的连接权值;f_n 和 f_0 可以选择不同的函数。

7.2.1.2 BP 神经网络的学习算法及程序实现

神经网络的自学习过程是一个反复迭代的过程。首先给网络一组初始权值,然后输入一个样本通过网络的正向传播过程计算其输出,通过实际输出与期望值之间的差值用一定的方法来修改网络的权值,以达到减小这个差值的目的。权值的修正是从输出层开始,将误差信号沿连接通路进行反向传输来进行的,这是网络的反向传播过程。反复执行这个过程直到这个差值小于预先确定的值为止。而对足够的样本进行这样的训练后,网络得到的那组权值便是网络经过自适应学习得到的正确的内部关系。

BP 算法的程序实现框图如图 7-2 所示。

7.2.2 神经网络用于多值性磁滞回线的模拟[136]

7.2.2.1 多值非线性函数到单值非线性函数的转化

我们处理多值性磁滞回线的出发点是将其转化为分段的单值非线性函数。对于标量磁滞回线 $M = f(H)$,可以将其转化为一个二变量的非线性函数 $M = F(H_i, H)$,H_i 为对应各段曲线回转点的输入场值。这样二维平面内的 $M = f(H)$ 关系曲线就可以转化为三维空间中的 $M = F(H_i, H)$ 曲线,两者的对应关系如图 7-3 所示。图 7-3(a)中的磁化曲线的 ab 段对应于图 7-3(b)的三维空间中的 $H_i = 0$ 的曲线 ab,图 7-3(a)中的磁化曲线的 bc 段则对应于图 7-3(b)的三维空间中的 $H_i = H_1$ 的曲线 bc。

转化后的二变量非线性函数 $M = F(H_i, H)$ 是分段连续的,

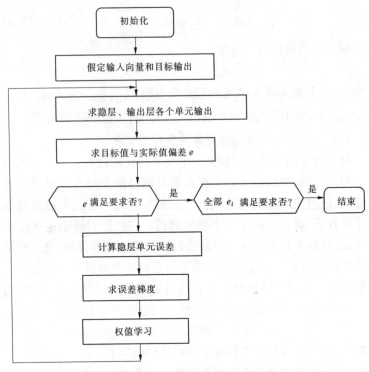

图 7-2　BP 算法的程序实现框图

每一段对应于一个固定的回转点输入 H_i 值（ab 段对应的 $H_i =$ 0，bc 段对应的 $H_i = H_1$）。对于矢量磁滞，只需将其沿三个坐标轴方向进行分解，对各个方向分别进行处理即可。

7.2.2.2 神经网络模型的建立

对于标量磁滞问题，可选用一维输出，用于表示对应与输入场值的磁化强度的大小；选用二维输入，用于表示磁场强度与回转点场值的大小，这样输入与输出的映射关系变为 $y = f(x_1, x_2)$。我们选用的神经网络模型可以表示为图 7-4 所示，该三层 BP 网络，其输入层有 2 个神经元，隐层有 6 个神经元，输出层有 1 个神经元。

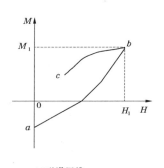

(a)磁滞回线

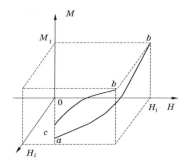

(b)对应于磁滞回线上 ab、bc 段的转变后
的单值函数三维表示

图 7-3　磁滞回线及其三维空间表示

图 7-4　三层 BP 网络模型示意

7.2.2.3　训练样本集的获取与输入数据的归一化

分别在磁滞回线的主回线与一阶、二阶回转曲线上选取训练样本集(共选 60 个),并将其用主回线上的对应回转点的场值的绝对值($H=3\,000$)对输入数据进行归一化处理,使输入数据的绝对值都归一化在 $[0,1]$ 闭区间内。在进行训练样本集数据的获取中,选取了一组用于提示所在分段信息的数据(用于提示神经网络需要对哪一段连续函数进行预测),这组数据对应需要模拟的三阶回转曲线上的一点(这里取三阶回转曲线变化的终点)。为了使神经网络易于发现磁滞回线的变化规律,这里尽可能多地在一阶与二阶回转曲线上选取与主回线上选取的回转点具有相同 H 值的样本点。

7.2.2.4　结果及分析

用训练时所得的各个权值对磁滞回线的第三阶回转曲线进行

了预测。预测结果与实验测试结果的比较如图 7-5 所示,选用的是一种铁磁材料。

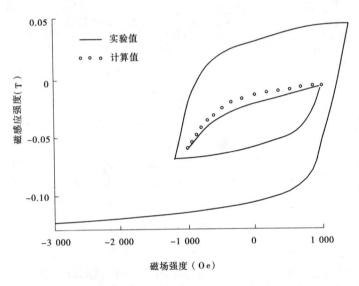

图 7-5　神经网络预测值和实验测定值的比较

从图 7-5 可看出,网络预测结果与实际值比较接近,验证了选用方法的正确性。但在三阶回转曲线的中间部分网络计算结果与实际值存在着一定的偏差,这可能与所选网络的输入与隐层节点数少以及选取的实验样本集较少有关。

7.3　小结

目前,人工神经网络方法在许多学科及工程领域中得到了广泛的应用。本章利用神经网络的 BP 算法及自行开发的神经网络计算软件包,对多值性的磁滞回线进行了模拟,提出了一种进行多值性函数的模拟方法。模拟结果与实验值比较相符。

第8章 总 结

　　本文对磁滞的数学模型及考虑媒质磁滞效应时磁场的数值计算进行了深入和系统的研究,并取得了一些有价值的理论研究成果,现将全文的主要研究内容和研究成果总结如下:

　　(1)全面系统地阐述和分析了磁滞的数学模型及考虑磁滞效应时磁场计算的研究发展概况。

　　(2)对磁滞的数学模型:标量 Preisach 模型、矢量 Preisach 模型、交变磁滞模型进行了系统的分析与研究;对 Preisach 模型涉及的一些重要概念:Preisach 图、分布函数、同余特性、可逆性、擦除特性都进行了较为深入的研究。

　　(3)将 Mayergoyz 的矢量 Preisach 模型中引入可逆磁化分量的贡献,提出了一个非线性矢量 Preisach 模型。

　　(4)提出了一个考虑媒质各向异性及矢量可逆行为的动态矢量 Preisach 模型。

　　(5)对考虑媒质磁滞效应时,静磁场的计算方法进行了分析,提出了将 Preisach 磁滞模型与不动点方法相结合来求解静磁场多值性有限元方程组的方法。

　　(6)讨论了磁滞电机参数的有限元计算方法,并针对方波驱动电容分相磁滞电机的耦合场问题,提出了一种进行有限元数值求解方案,该方案采用了 Preisach 磁滞模型,因此可得到比传统的对磁滞回线采用某种近似的解析法更为精确的结果。

　　(7)讨论了人工神经网络在电磁场数值计算中的应用,并利用前向多层神经网络的反传学习算法,对磁滞多值性回线进行了模拟。

在本文的研究基础上，作者认为以下几个方面的工作有待于进一步研究和探讨：

(1)各种 Preisach 磁滞模型的统一性研究，这已成了一个迫切性的研究课题。

(2)三维涡流磁滞场的数值分析计算研究。

(3)考虑磁滞时电磁设备的最优化设计的研究。

(4)降低电磁设备、磁记录设备能耗的研究。

参考文献

1 F Preisach. Z Phys, Vol. 94, p. 277, 1935

2 L Neel, Compt. Kend, Vol. 246, p. 2313, 1985

3 J G Woodward, E Della Torre. J. Appl. Phys. , Vol. 31, p. 56, 1960

4 W F Brown. J. Appl. Phys. Vol. 33, p. 1308, 1982

5 G Bate, J Appl. Phys. , Vol. 33, p. 2263, 1962

6 J A Barker, D E Schreiber, B G Huth, et al. Proc. R. Soc. lond. Vol. A386, p. 251, 1985

7 M Krasnoselskil, A Dokrovskil. Systems with hysteresis. Nauka Moscow, 1983

8 I D Mayergoyz. Mathematial models of hysteresis(insited). IEEE trans. Magn. , Vol. MAG-22, No. 5, p. 603-608, 1986

9 I D Mayergoyz. The classical Preisach Model of hysteresis and reverisibility. J. Appl. Phys. , 69(8), 15, p. 4602-4604, 1991

10 I D Mayergoyz, A A Adly, G Frienman. New Preisach-type models of hysteresis and their experimental testing. J. Appl. Phys. , 67 (9), 1, p. 5373-5375, 1990

11 I D Mayergoyz, G Frieman, G Salling. Comparison of the classical and generalized Preisach hysteresis models with experiments. IEEE Trans. Magn. , Vol. 25, No. 5, p. 3925-3927, 1989

12 I D Mayergoyz, G Frienman. Generalized Preisach Model of Hysteresis (invited). IEEE trans. Magn. , Vol. 24, No. 1, p. 212-217, 1988

13 A A Adly, Mayergoyz. Experimental testing of the average Preisach model of hysteresis. IEEE trans. Magn. , 28 (5), p. 2268-2270, 1992

14 M L Hodgon. Applications of theory of ferromagnetic hysteresis. IEEE trans. Magn. ,24(1),p. 218-221,1988

15 F Ossart, T A Phung. Comparison between various hysteresis models and experimental data. J. Appl. Phys. ,67(9),1,p. 5379-5381,1990

16 A A Adly, I D Mayergoyz. Preisach modeling of magnetostrictive hysteresis. J. Appl. Phys. ,69(8),15,p. 5777-5779,1991

17 Can E Korman, Isaak D Mayergoyz. The input dependent Preisach model with stochasic input as a model for aftereffect. IEEE trans. Magn. , Vol. 30, No. 6, p. 4368-4370, 1994

18 S Bobbio. A New Model of Scalar Magnetic Hysteresis. Vol. 30, No. 5, p. 3367-3370, 1994

19 Ferenc Vajda, Edward Della Torre. Minor loops in magnetization-dependent Preisach models. IEEE trans. Magn. , Vol. 28, No. 2, p. 1245-1248, 1992

20 E Della Torre. Preisach modeling and reversible magnetization. IEEE trans. Magn. , Vol. 26, No. 6, p. 3052-3058, 1990

21 G Ossart, E Della Torre. Comparison between hysteresis modeling: I: Noncongruency, II: Accommodation. IEEE trans. Magn. , 23(5), p. 2820-2825, 1987

22 G K. E Della Torre. Determination of the bilinear product Preisach function. J. Appl. Phys. ,63(8),15,p. 3001-3003,1988

23 D L Acherton, F J R Beattie. A mean field Stoner-Wohlfarth hysteresis model. IEEE trans. Magn. ,26(6),p. 3059-3066,1990

24 R I Potter, I A Beardsley. IEEE trans. Magn. ,MAG-16,p. 967, 1980

25 I A Beardsley. Modeling the record process. IEEE trans. Magn. , MAG-22, p. 454-459, 1986

26 T R Koehler. J. Appl. Phys. ,61,p. 1568,1987

27 I D Mayergoyz. Vector Preisach hysteresis models (invited). J. Appl. Phys. ,63(8),15,p. 2995-3000,1988

28 G Friedman. Generalization of the vector Preisach hysteresis model. J. Appl. Phys. ,69(8),15,p. 4832-4874,1991

29 E Della Torre, G Kadar. Vector Preisach and moving model. J. Appl. Phys. ,Vol. 63,p. 3004-3006,1988

30 I A Beardsley. Modelling the record process. IEEE trans. Magn. , Vol. 22,No. 5,p. 454-459,1986

31 E Della Torre. A vector phenomenological model for digital recording. J. Appl. Phys. ,61(8),15,p. 4016-4018,1987

32 D C Jiles. Frequency Dependence of Hysteresis Curve in Non-Conducting Magnetic Materials. IEEE. trans. Magn. , Vol. 29, No. 6,p. 3490-3492,1993

33 G Bertotti. J. Appl. Phys. ,57,p. 2110,1995

34 G Bertotti. J. Appl. Phys. ,69(8),15,p. 4608,1991

35 G Bertotti, Fistrillo, M Passuqle. IEEE. Trans. Magn. , Vol. 29, No. 6,p. 3496,1993

36 S Hayano,M Namiki,Y Saito. A Magnetization model for computation magnetodynamics. J. Appl. Phys. , 69 (8), 15, p. 4614-4616,1991

37 I D Mayergoyz. Dynamic vector Preisach models of hysteresis. IEEE. Trans. Magn. ,Vol. 24,No. 6,p. 2925-2927,1988

38 I D Mayergoyz. Dynamic vector Preisach models of hysteresis. J. Appl. Phys. ,69(8),15,p. 4829-4831,1991

39 K C Wiesen,S H Charap. A rotational vector Preisach model for unoriented media. J. Appl. Phys. ,67(9),1,p. 5367-5369,1990

40 S Hong,Deskgeum Kim. Vector Hysteresis Model for Unoriented

Magnetic Materials. IEEE trans. Magn. , Vol. 30. No. 5, p. 3371-3374, 1994

41 S Hong. Properties of the Vector Hysteresis Model for Unoriented Magnetic Materials. IEEE. trans. Magn. , Vol. 31, No. 3, p. 1833-1836, 1995

42 J G Woodward, E Della Torre. J. Appl. Phys. , Vol. 31, p. 56-62, 1960

43 K Suzuki. IEEE Trans. Magn. , MAG-12, p. 224, 1976

44 I A Beardsley. IEEE trans. Magn. , MAG-22, p. 454, 1986

45 G Friedman, I D Mayergoyz. Computation of Magnetic Field in Media with Hysteresis. IEEE trans. Magn. , Vol. 25, No. 5, p. 3934-3936, 1989

46 A A Adly, I D Mayergoyz, R D Gomez, et al. Computation of Hysteresis Fields in Hysteretic Media. IEEE trans. Magn. , Vol. 29, No. 6, p. 2380-2383, 1993

47 J F Ostiguy, P P Silvester. Magnetic field computation in hysterestic media by the finite element method using Preisach model. J. Appl. phys. , 57(1), 15, p. 3853-3855, 1985

48 P J Leonard, D Rodger, T Karagular, et al. Finite element modeling of magnetic hysterestic. Vol. 31, No. 3, p. 1801-1804, 1995

49 P Alotto. A 2D finite element procedure for magnetic Analysis involving non-linear and hysteresis material. IEEE trans. Magn. , p. 3378-3382, 1994

50 T R Koehler, D R Fredkin. Finite Element Methods for Micromagnetics. IEEE trans. Magn. , Vol. 28, No. 2, p. 1239-1244, 1992

51 O Battauscio, D Chiarabaglio. A hysterestic periodic magnetic field solution using Preisach model and fixed point technique.

IEEE trans. Magn. , Vol. 31 , No. 6 , p. 3548-3550 , 1995

52 Y Okada, H Inoue. Three Dimensional Analysis of Hysteresis Problem. IEEE. trans. Magn. , Vol. 28, No. 2, p. 1249-1251, 1992

53 A G Jack, B C Mecrow. Methods for magnetically nonlinear problems involving significant hysteresis and eddy currents. IEEE trans. Magn. , Vol. 26, No. 2, p. 424-429, 1990

54 G Fredman, I D Mayergoyz. Input-dependent Preisach model and hysterestic energy losses. J. Appl. phys. , 69 (8), 15, p. 4611-4613, 1991

55 I D Mayergoyz, G Friedman. The Preisach Model and Hysterestic Energy Losses. J. Appl. phys. , 61(8), 15, p. 3910-3912, 1987

56 G Bertottis, F Fiorillo, M Pasquale. Measurement and Prediction of Dynamic Loop Shape and Power Losses in Soft Magnetic Materials. IEEE trans. Magn. , Vol. 29, No. 6, p. 3469-3498, 1993

57 G Bertotti, V Bosso, M Pasquale. Application of the Preisach Model to the Calculation of Magnetization Curves and Power Losses in Ferromagnetic Materials. IEEE trans. Magn. , Vol. 30, No. 1, p. 1052-1057, 1994

58 G Bertotti. IEEE trans. Magn. , 24, p. 621-623, 1988

59 W Salz, Karl-August Hempel. Power Loss in Electrical Steel Under Elliptically Rotating Flux Condition. IEEE trans. Magn. , Vol. 32, No. 2, p. 567-571, 1988

60 夏园正人, 池下浩二. 有限要素 よるヒテリ損失の解析. T. IEEE. Japan 109-A(6. 89):247-254

61 Farouk A A Zaher, Ahmed I. Shobeir. Analog Simulation of the Magnetic Hysteresis. IEEE trans. PAS, Vol. PAS-102, No. 2, p. 1235-1239, 1983

62 S N Talukdar, J R Bailey. Hysteresis models for system studies. IEEE Trans. PAS. , Vol. 92, No. 4, p. 1429-1434, 1976

63 G Kadar. On the Preisach function of ferromagnetic hysterestic. J. Appl. phys. , 61(8), 15, p. 4013-4015, 1987

64 F Vajda, E Della. Torre. Hierarchy of Scalar Hysteresis Models for Magnetic Reording Media. IEEE Trans. Magn. , Vol. 32, p. 1112-1115, 1996

65 E Della Torre, F Vajda. Ector Hysterestic Modeling for Anisotropic Recording Media. IEEE Trans. Magn. , Vol. 32, No. 3, p. 1116-1119, 1996

66 I D Mayergoyz, A A Adly. A New Isotropic Vector Preisach-Type Model of Hysteresis and Its Identifiation. IEEE Trans. Magn. , Vol. 29, No. 6, p. 2377-2379, 1993

67 C E Korman, I D Mayergoyz. Preisach Model Driven by Stochastic Input as a Model for Aftereffect. IEEE trans. Magn. , Vol. 32, No. 5, p. 4204-4209, 1996

68 冯国胜. 用不动点算法解非线性方程组的一种方法. 高等学校计算数学学报, 1 期, 8~16, 1984

69 V Basso, G Bertotti. Hysteresis Models for the Description of Domain Wall Motion. IEEE Trans. Magn. , Vol. 32, No. 5, p. 4210-4212, 1996

70 D C Jiles, D L Atherton. Ferromagnetic Hysteresis. IEEE trans. Magn. , Vol. 19, No. 5, p. 2183-2185, 1983

71 R J Davidson, Astanley H charap. Combined Vector Hysteresis Models and Applications. IEEE trans. Magn. , Vol. 32, No. 3, p. 4189-4203, 1996

72 I D Mayergoyz. Nonlinear Diffusion and Superconducting Hysteresis(invited). IEEE Trans. Magn. , Vol. 32, No. 3, p. 4192-

4197,1996

73 E Della Torre,Ference Vajda. Physical basis for parameter identi-
fication in magnetic material. IEEE trans. Magn. ,Vol. 32,No. 5,
p. 4186-4191,1996

74 N Schmidt,H Guldner. A Simple Method to Determin Dynamic
Hysteresis Loops of Soft Magnetic Material. IEEE trans. Magn. ,
Vol. 32,No. 2,p. 489-496,1996

75 A D Evans,P A Reeve. Automated Hign Saturation B-H Measur-
ing Equipment. IEEE trans. Magn. , Vol. 32, No. 4, p. 3045-
3048,1996

76 D L Atherton, Markus schon Bachler. Measurements of Re-
versible Magnetization Component. IEEE trans. Magn. ,Vol. 24,
No. 1,p. 616-619,1998

77 L L Rouve,F Ossart,T Wackert, et al. Magnetic Flux and Losses
Computation in Electrical Laminations. IEEE trans. Magn. ,Vol.
32,No. 5,p. 4219-4221,1996

78 Jaakko Paasi,Antti Tuohimna. Hysteresis Losses in Bi-2223 Su-
per-conductors. IEEE Trans. Magn. , Vol. 32, No. 4, p. 2796-
2799,1996

79 周克定. 工程电磁场专论. 武汉:华中工学院出版社,1986

80 周克定. 工程电磁场数值计算的理论方法及应用. 北京:高等教
育出版社,1993

81 胡之光. 电机电磁场的分析与计算. 北京:机械工业出版社,
1980

82 胡恩球. 电磁器件的有限元仿真及超导单极电磁场的分析与计
算:[华中理工大学博士论文],1996

83 D L Atherton, B Szpunar, J A Szpunar. A New Approach to
Preisach Diagrans. IEEE trans. Magn. , Vol. 23, No. 3, p. 1856-

1865,1987

84 D H Everett. A General approach to hysteresis-part 3. A formal treatment of the independent domain model of hysteresis, Trans. Faraday soc, p. 1075, 1953

85 周克定. 用加权余量法建立电磁场有限元离散化方程. 大电机技术, 1982(6):1-6

86 陈青. 电磁场有限元计算及网格生成自适应:[华中理工大学硕士论文], 1988

87 陆佳政. 被动补偿式脉冲发电机研究:[华中理工大学博士学位论文], 1994

88 B Worden Webbr. Finite Element Generation, CAD, Vol. 16, No. 5, p. 285-291, 1984

89 M S C Sluiter. A General Purpose Automatic Mesh Generator for Shell and Solid Finite Elements. Proc, 2nd Int. Computer Engn. Cont, ASME, 1982

90 M S Shephard. Automatic Mesh Generation Allowing for Efficient A Priori and A Posteriori Mesh Refinement. Comp. Meth Appl. Mech. and Engn. , Vol. 55, p. 161-168, 1986

91 D N Shenton, et al. Three Dimensional Finite Element Mesh Generate Using Delaunay Tesselation. IEEE Trans. MAG, Vol. 21, p. 2535-2538, 1985

92 P Alotto, P Girdinio, P Moltino, et al. Mesh Adaption and Optimization Techniques in Magnet Design. IEEE Trans. Magn. , Vol. 32, No. 4, p. 2954-2957, 1996

93 L Janicke, Arnulf kost. Error Estimation and Adaptive Mesh Generation in the 2D and 3D Finite Element Method. IEEE trans. Magn. , Vol. 32, No. 3, p. 1334-1337, 1996

94 L Janicke, Arnulf kost. Error Estimation and Adaptive Mesh

Generation in the 2D and 3D Finite Element Method. IEEE trans. Magn. , Vol. 32, No. 3, p. 1334-1337, 1996

95 P Girdinio, P Molfion, P Alotto. Non-linear Magnetostatic Adaption Using a "Local Field Error" Approach. IEEE trans. Magn. , Vol. 32, No. 3, p. 1365-1368, 1996

96 屠关镇,傅为农. 磁场有限元自适应网格生成法. 上海工业大学学报, 1990, 11(2):1-8

97 吴海容,梁艳萍. 恒定磁场有限元计算的后验误差估计. 哈尔滨电工学院学报, 1993, 16(1):1-14

98 J A Meijerink, A Pervorst. An Iterative Solution for Linear System of Which the Coefficient Matrix Is Symmetric M-Matrix. Mathematics of computation Vol. 31, No. 137, 1997

99 D S Kerhaw. The ICCG Method for Iterative Solution of Systems of Linear Equations. J. Comp. phys. , Vol. 20, p. 43-65, 1978

100 辜承林. 电力变压器铁心磁场、损耗和温度场的理论与计算. 武汉:华中理工大学出版社, 1993

101 A A Adly. Numerical Implementation and Testing of New Vector Isotroipc Preisach-Type Models. IEEE trans. Magn. , Vol. 30, No. 6, p. 4383-4385, 1994

102 Masato Enokizono, Kenji Yuki, Shinichi Kanao. Magnetic Field Analysis by Finite Element Method Taking Rotational Hysteresis into Account. IEEE Trans. Magn. , Vol. 30, No. 5, p. 3375-3378, 1994

103 M Enokizono, N Soda. Magnetic Field Analysis by Finite Element Method using Effective Anisotropic Field. Vol. 31, No. 3, p. 1793-1796, 1995

104 T Doony, I D Mayergoyz. On Numerical Implimention of Hysteresis Models. Vol. 21, No. 5, p. 1853-1855, 1985

105 T Nakata, N Takahashi, Y Kawase. Finite Element Analysis of Magnetic Fields Taking into Account Hysteresis Characteristic. Vol. 21, No. 5, p. 1856-1858, 1985

106 V Ionita, B Cranganu-Cretu, D Ioan. Quasi-Stationary Magnetic Field Computation in Hysterestic Media. IEEE trans. Magn. , Vol. 32, No. 3, p. 1128-1131, 1996

107 Y Okada, H Inoue. Three Dimensional Analysis of Hysteresis Problems, IEEE trans. Magn. , Vol. 28, No. 2, p. 1249-1251, 1992

108 正渡边博子, 加藤胜洋. 磁气饱和考虑し太棒状磁性体磁化特性の数值解析. 电子通信学会论文, 1986, Vol. J69-C, (5) 554-561

109 P J Leonard, D Rodger. Finite Element Scheme for Transient 3D Eddy Currents. IEEE Trans. Magn. , Vol. 24, No. 1, p. 90-93, 1988

110 程福秀 林金铭. 现代电机设计. 北京:机械工业出版社, 1992

111 K J Bins, C P Riley. The Efficient Evalution of Torque and Field Gradient Perquanent Magnet Machines with Small Air Gap. IEEE Trans. MAG. , Vol. 21, No. 6, p. 2435-2438, 1985

112 Liu chen chang. An Improved FE Inductance Calculation for Electrical Machines. IEEE trans. Magn. , Vol. 32, No. 4, p. 3244-3245, 1996

113 许善椿, 范国祥. 电机槽漏抗的有限元分析. 哈尔滨电工学院学报, 1992, 15:9-15

114 王则柯. 不动点算法. 上海:上海科学技术出版社, 1987

115 高桥幸人. 电气机器设计. 日本:共立全书, 1956

116 陈世坤. 电机设计. 北京:机械工业出版社, 1989

117 马志源. 时间谐波对方波驱动电容分析磁滞电动机同步性能

的作用:[中科院电工所硕士论文],1981

118 涌井. フソデンサ分相形ヒスラリシス电动机の方形波电源 1=dよる驱动. 电气学会论文志,12/94-B,p.631-678,1974

119 C Miano, C Serpico, L Verolino, et al. Comparison of Differension Hysteresis Models in FE Analysis of Magnetic Field Diffusion. IEEE trans. Magn. , Vol. 31, No. 3, p. 1789-1792, 1995

120 A G Jack, B C Mecrous. Methods for Magnetically Nonlineary Problems Involving Significant Hysteresis and Eddy Currents. IEEE trans. Magn. , Vol. 26, No. 2, p. 424-429, 1990

121 S C Tandon, A F Armor, M V K Chari. Nonlinear transient finite element field computation for electric machine and devices. IEEE trans. Magn. , PAS, Vol. DAS-102, No. 5, p. 1089-1094, 1983

122 O Bottauscio, D chiarabalio. A Hysteretic Periodic Magnetic Field Solution Using Preisach Model and Fixed Point Technique. IEEE trans. Magn. , Vol. 31, No. 6, p. 3548-3550, 1995

123 T W Preston, A B J Reece, P S Sangha. Induction Motor Analysis by Time-stepping Techniques. IEEE trans. Magn. , Vol. 24, No. 1, p. 471-474, 1988

124 M Pasquale, G Bertotti. Application of the Dynamics Preisach Model to the Simulation of Circuits Coupled by Soft Magnetic Cores. IEEE trans. Magn. , Vol. 32, No. 5, p. 4231-4233, 1996

125 A A Adly. Performance Simulation of Hysteresis Motors Using Accurate Rotor Models. IEEE trans. Magn. , Vol. 31, No. 6, p. 3542-3544, 1995

126 Chang-Hoi Ahn, Sang-Soo Lee, Hyuek-Jae Lee, et al. A Selforganization Neural Network Approch for Automatic Mesh Generation. IEEE trans. Magn. , Vol. 27, No. 5, p. 4201-4204, 1991

127 D N Idyck, D A Lowther, S McFee. Determining An Approximate Finite Element Mesh Density Using Neural Network Technologys. IEEE Trans. Magn. , Vol. 28, No. 2, p. 1767-1770, 1992

128 D A Lowther, D N Dyck. A Density Driven Mesh Generater Guided by A Neural Network. IEEE trans. Magn. , Vol. 29, No. 2, p. 1927-1930, 1993

129 S Rat najeevan, H Hoole. Artifical Neural Networks in the Solustion of Inverse Electromagnetic Field Problems. IEEE Trans. Magn. , Vol. 29, No. 2, p. 1931-1933, 1993

130 O A Mohammed, R S Merchant, F G Uler. Utilizing Hopfield Neural Networks and an Improved Simulated Annealing Procedure for Design Optimization of Electromagnetic Devices. IEEE trans. Magn. , Vol. 29, No. 6, p. 2404-2406, 1993

131 H Yamashita, N Kowata, V Cingoski, et al. Direct Solution Method for Finite Element Analysis Using Hopfield Neural Network. IEEE trans. Magn. , Vol. 31, No. 3, p. 1964-1967, 1995

132 Jean-Daniel Kant, Jo Le Drezen. Electromagnetic Field Parallel Computation with a Hopfield Neural Network. IEEE trans. Magn. , Vol. 31, No. 3, p. 1968-1971, 1995

133 E Coccorese, R Martone, F C Morabito. A Neural Network Approach for the Solution of Electric and Magnetic Inverse Problems. IEEE trans, Magn. , Vol. 30, No. 5, p. 2829-2839, 1994

134 J J Hopfield. Neural networks and physical systems with emergent collective computational abilities. Proc. Nat. Acad. Sci. USA. , Vol. 79, p. 2554-2558, 1982

135 N Schmikt, H Gu Cdner. A Simple Method to Determine Dy-

namics Hysteresis Loops of Soft Magnetic Materals. IEEE trans. Magn. , Vol. 32, No. 2, p. 489-496, 1996

136 Muhammad Taher Abuelma atti. Modeling of Magnetization Curves for Computer-Aided Design. IEEE trans. Magn. , Vol. 29, No. 2, 1993

137 D E Rumelhart, J L Mcclell. Parallel Distribution Processing Explorations in the Microstructure of Cognition, NIT Prress, 1986

138 胡守仁, 余少波, 戴葵. 神经网络导论. 长沙: 国防科技大学出版社, 1992

139 焦守成. 神经网络系统理论. 西安: 西安电子科技大学出版社, 1990

140 郭爱克, 等. 神经网络研究概述. 科学, 1990, 42(3): 176-181

141 H H Saliah, D A Lowther. A Neural Network Model of the Magnetic Hysteresis for Computation Magnetics. IEEE trans. Magn. , Vol. 33, No. 5, p. 4146-4148, 1997

142 陈丕璋, 等. 电机电磁场理论与计算. 北京: 科学出版社, 1986

143 Reversibility of the Preisach Model. Proceedings of the Third International Conference on Electromagnetic Field Problems And Applications(ICEF'96)Wuhan October 1996, pp. 331-333

144 赵国生, 李朗如. 一种新的动态矢量 Preisach 磁滞模型. 华中理工大学学报 1997(7): 88.91

145 赵国生, 李朗如. 磁滞多值性的神经网络模拟. 水电能源科学, 1997(3): 47-50